D0807736

LE PETIT

PARADIS

ÉDITION DU CLUB QUÉBEC LOISIRS INC.
© Avec l'autorisation des Éditions de l'Homme inc.
© Éditions de l'Homme inc., 1995

Dépôt légal - Bibliothèque nationale du Québec, 1996
ISBN 2-89430-249-5
(publié précédemment sous ISBN 2-7619-1285-3)

France Paradis

LE PETIT
PARADIS

*Tout ce que
vous devez savoir
pour vivre bien
avec presque rien*

Adresses

Trucs

**Recettes
maison**

À mes enfants que j'adore,
Joël, Raphaëlle et Jérémie,
qui ont été l'heureuse
inspiration de ce livre.

À mon chum d'amour,
Jacques-Alain,
qui n'a jamais hésité à essayer toutes mes idées,
même les plus saugrenues!

À toutes les mères et pères de famille
qui réalisent chaque jour le grand miracle
d'élever leurs enfants au meilleur de leurs
connaissances et selon leurs moyens.

INTRODUCTION

L e petit Paradis *est un livre qui s'est imposé à moi au fil des mois. Les auditeurs de Radio-Canada m'ont souvent suggéré de le publier. Il s'agit du recueil des chroniques que j'ai présentées tous les vendredis à la radio de Radio-Canada pendant un peu plus de deux ans. Ce sont des chroniques conviviales qui parlent tout autant de consommation que de l'art de vivre en communauté. J'y aborde pratiquement tous les aspects de la consommation dans la vie quotidienne en proposant les meilleures façons d'économiser. Je suis certaine qu'un tel outil, pratique et abordable, intéressera beaucoup de consommateurs en ces temps difficiles où deux salaires ne sont pas du tout un gage de confort.*

À dire vrai, j'ai moi-même utilisé la plupart des idées et des ressources que vous trouverez dans ce livre. Ma vie quotidienne et mon budget s'en sont trouvés transformés, il n'y a aucun doute là-dessus. Le volumineux courrier hebdomadaire et les très nombreux appels que j'ai reçus (je passais au moins une heure et demie au téléphone après chacune de mes interventions radiophoniques) me disent que cette chronique et les idées qu'elle propose changent aussi la vie de ceux qui les mettent en pratique. Je souhaite que ces idées et ces suggestions puissent aussi faciliter la vôtre.

LA MAISON

Les familles et les couples vivent ensemble depuis des millénaires sans conventions collectives ni représentation syndicale. Pour réaliser cela, il leur a fallu développer une très grande expertise en matière de négociation. J'ai déniché une petite brochure *gratuite* qui traite pendant 22 pages de cette question et d'un des plus grands fantasmes féminins: voir leur conjoint arrêter de se contenter de faire les tâches domestiques et familiales sur demande et y penser DE LUI-MÊME!

C'est le Secrétariat à la famille du Québec qui a produit cette brochure rédigée par Danielle Stanton, qui est en fait un questionnaire plein d'humour. Voilà sans doute la seule façon possible d'aborder le sujet du partage des tâches sans créer un raz-de-marée ou un dialogue de sourds. En voici quelques extraits.

- *Les charnières du panier à linge menacent de céder. Même en pressant fort, impossible d'en mettre plus. Un action s'impose. Qui s'y attaque? Réponse possible: je mets le pied dans le panier et je pousse fort. C'est fou la place qu'on peut gagner.*

- *Drame! Sept heures cinquante-huit. Le petit dernier vient de faire une indigestion en règle. Vous avez tous deux un avant-midi crucial au bureau. Suspense: qui restera? Réponse possible: «Ta mère, qu'est-ce qu'elle fait aujourd'hui?»*

- *Demain, c'est le grand jour: le camion à ordures passe. Qui prend son manteau et son courage à deux mains pour accompagner la poubelle au bord de la route? Réponse possible: l'un ou l'autre. Chez nous, le plaisir est également réparti. Pas question de priver l'autre de la scène d'adieu aux déchets.*

On y trouve 16 questions avec des choix de réponses, un petit carton pour que madame inscrive ses réponses et les réponses qu'elle croit que son conjoint donnerait; et un deuxième carton pour que monsieur fasse la même chose de son côté. Après on interprète le test pour vous... Beaucoup de plaisir en perspective. Pour se procurer la brochure intitulée *C'est à ton tour*:

- téléphone: (418) 643-6414
- adresse: Secrétariat à la famille
  875, Grande-Allée Est
  Édifice H, bureau 3.300
  Québec (Québec)
  G1R 4Y8

PRODUITS MAISON DE NETTOYAGE

ÉLÉMENTS DE BASE POUR LES RECETTES

- bicarbonate de soude (petite vache)
- vinaigre blanc
- savon pur (Ivory en poudre ou liquide)
- borax (borate de sodium)*
- cristaux de soude (Arm & Hammer)
- fécule de maïs
- ammoniaque (vendu sous le nom commercial Amex; utilisez avec parcimonie!)

LES PRODUITS

- **Nettoyeur tout-usage (toutes les surfaces ou presque)**

  1 tasse de bicarbonate de soude + 2 tasses de vinaigre blanc + 4 tasses d'eau chaude. Brassez bien et mettez en bouteille. Environ 1,60 $ pour 1,5 litre de produit.

- **Nettoyeur tout-usage n° 2**

  1 c. à thé de savon + 2 c. à thé de borax dans 1 litre d'eau. Pour un pouvoir dégraissant, ajoutez quelques cuillerées de vinaigre ou de cristaux de soude. Environ 1 $ pour 1 litre de produit.

---

* Le borax semble de plus en plus difficile à trouver. Talonnez votre épicier ou votre quincaillier jusqu'à ce qu'il en commande pour vous.

• **Nettoyeur tout-usage très puissant**

1 tasse d'ammoniaque dans 4 litres d'eau. Utilisez la moitié d'ammoniaque pour un nettoyeur plus doux sur les surfaces plus fragiles. Environ 0,50 $ les 4 litres.

• **Désinfectant**

1/4 tasse de borax dans 2 litres d'eau. Environ 0,85 $ pour 2 litres de produit.

• **Récurant**

1 tasse de savon liquide ou en poudre + 1 tasse de bicarbonate de soude + 2 tasses d'eau chaude. Formez une pâte et frottez avec une éponge ou une petite brosse dure. Environ 1,40 $ pour 2 tasses de produit.

• **Poli à meubles**

1 tasse de jus de citron + 3/4 tasse de savon à vaisselle + 2 tasses d'huile (minérale ou végétale). Versez dans une bouteille de vaporisateur récupérée et agitez avant chaque usage. Appliquez avec un chiffon et polissez jusqu'à ce que ce soit sec. Environ 1,65 $ pour 750 ml de produit.

– Bois verni: Frottez avec un linge imbibé de thé froid.

– Bois décapé: Ravivez-en la couleur en le rinçant avec du vinaigre chaud.

• Empois en aérosol

2 c. à thé de fécule de maïs dans 1/2 litre d'eau froide. Agitez bien avant chaque usage. Environ 0,50 $ le litre.

• Savon à vaisselle

Utilisez simplement du savon pur **ou** 1 tasse de borax pour 1 tasse de cristaux de soude. Pour dégraisser, ajoutez 3 cuillerées à soupe de vinaigre.

• Verre et miroirs

Lavez au savon et à l'eau chaude. Rincez avec 1 partie de vinaigre blanc pour 4 parties d'eau. Essuyez avec des vieux journaux.

• Lessive (vêtements)

1/4 tasse de savon pur et 1/3 tasse de cristaux de soude; attendez que la machine ait brassé l'eau avant de mettre le linge. Pour plus de pouvoir nettoyant, ajoutez 1/2 tasse de borax. Avant de passer votre vieux détergent dans cette recette, lavez vos vêtements au borax pour enlever toute trace de détergent et éviter qu'ils jaunissent.

• Détachant pour la lessive

3/4 tasse de vinaigre + 1/2 tasse d'ammoniaque + 1/2 tasse de détachant (genre Wisk) + 1/2 tasse d'eau. Vaporisez ce mélange sur la tache et lavez. Vous pourriez aussi vaporiser le vêtement et le faire tremper dans l'eau durant une heure avant de le laver.

• **Assouplisseur**

1/2 tasse de vinaigre ou 1/4 tasse de bicarbonate de soude dans l'eau de rinçage de la lessiveuse. Pour la sécheuse: humidifier une serviette avec du vinaigre. Le vinaigre permet aux vêtements foncés de ressortir sans petites particules collées dessus.

Ou encore, utilisez tout simplement un conditionneur pour cheveux à 0,99 $ le gallon: il fait le même travail qu'un assouplisseur liquide dans l'eau de rinçage.

• **Nettoyeur de cuvette**

Savez-vous que le vinaigre enlève les dépôts calcaires? Pour les cuvettes, mélangez une poignée de gros sel ou de coquilles d'œuf avec 400 ml de vinaigre. Laissez tremper 15 minutes. Évidemment, ce procédé ne désinfecte pas la cuvette.

• **Nettoyeur de baignoire**

Si votre baignoire est complètement ternie, voici la solution, pour 5 $ seulement: Vous avez besoin de 2 ou 3 citrons et du quart d'une bouteille de crème de tartre. Mouillez la surface, saupoudrez de la crème de tartre et frottez-la avec la surface coupée d'un demi-citron. En 30 minutes, vous retrouverez une baignoire brillante et blanche! La surface restera cependant un peu rugueuse.

• **Nettoyeur à tapis**

1 tasse de borax + 2 tasses de farine de maïs. Saupoudrez et laissez reposer une heure; passez l'aspirateur.

Une autre idée «verte»: Coupez un chou vert en deux et frottez le tapis avec le côté tranché. Passez ensuite l'aspirateur.

• Rafraîchisseur d'air

Un bol de vinaigre chaud absorbe les odeurs persistantes. Pour parfumer la maison, faites bouillir de l'eau avec de la cannelle ou du clou de girofle sur la cuisinière.

Le bicarbonate de soude dans le frigo et la poubelle absorbent les odeurs de manière très efficace.

• Pour déboucher les éviers

1/4 tasse de bicarbonate + 1/2 tasse de vinaigre. Attendre la fin du bouillonnement et vider une casserole d'eau bouillante.

Si très bouché: 1 tasse de bicarbonate de soude + 1 tasse de sel + 5 c. à thé de vinaigre. Laissez bouillonner pendant 15 minutes après avoir pris soin de boucher l'orifice avec un torchon. Puis, versez de l'eau très chaude.

Chaque semaine: 10 c. à thé de bicarbonate de soude + 10 c. à thé de vinaigre. Ça devrait éviter qu'il se bouche.

• Nettoyeur abrasif

1/2 citron que vous trempez dans du borax. Frottez avec le citron puis rincez.

TRUCS POUR DÉTACHER

- Tapis: Versez du «club soda» immédiatement sur la tache: c'est miraculeux!

- Verdure: Faites tremper dans du lait bouillant pendant 5 minutes, puis savonnez.

- Rouge à lèvres: Utilisez du dissolvant à ongles.

- Crayon à bille: Vaporisez du fixatif pour cheveux, puis savonnez.

- Rouille et moisissure: 1 tasse de borax + 1 tasse de vinaigre blanc.

- Moisissure: Réduisez une craie blanche en poudre et faites une pâte en y ajoutant de l'eau. Déposez sur la moisissure; laissez sécher et lavez.

- Sang séché: Faites une pâte avec du bicarbonate de soude et de l'eau froide. Laissez imbiber 10 minutes, rincez, puis savonnez.

POUR NETTOYER...

- Le laiton: Frottez avec un mélange de parties égales de farine et de sel, diluées avec un peu de vinaigre de manière à former une pâte.

- Le calcium: Les taches de calcium sur vos bottes disparaîtront si vous les frottez avec un peu de vinaigre.

- Le chrome: Frottez-le avec du vinaigre pur.

- Le cuivre: Frottez-le avec du jus de citron et du sel **ou** du vinaigre chaud et du sel.

- Le cuir: Badigeonnez-le d'un blanc d'œuf mousseux, puis rincez. Il retrouvera sa belle brillance.

- L'argent: Frottez-le avec une pâte faite de bicarbonate de soude et d'eau.

- L'argenterie: Un carré de camphre empêchera les ustensiles de ternir. Ou encore, rangez vos ustensiles dans du papier d'aluminium. Pour les nettoyer, si vous ne les avez pas protégés: 1/2 tasse de bicarbonate de soude dans un petit chaudron rempli d'eau bouillante. Plongez-y votre argenterie. Vous pourriez aussi choisir de la frotter tout simplement avec du dentifrice.

- L'acier inoxydable: Frottez-le avec de l'alcool à friction.

- Les touches du piano: Frottez-les doucement avec du bicarbonate de soude.

- La céramique, la baignoire, etc.: parts égales de savon en poudre, de bicarbonate de soude et de borax ou de sel de table.

- L'étain: La bière chaude fait briller l'étain.

- Le bronze: Mélangez une quantité égale d'eau, d'ammoniaque, de vinaigre et d'alcool. Trempez-y une vieille brosse à dents et frottez.

- Le verre: Broyez des coquilles d'œuf avec du vinaigre. Agitez le mélange dans votre carafe et elle redeviendra claire.

VENTES DE GARAGE

RECRÉEZ LE LAVOIR

Les ventes de garage sont plus qu'une simple activité lucrative: elles permettent les rencontres et l'échange. C'est l'occasion de faire connaissance. C'est un peu le lavoir du siècle dernier où les gens d'une même communauté se rencontraient pour partager la vie quotidienne, cet espace de la vie où s'incarne la convivialité!

Une vente de garage annuelle vous permet de garder le contrôle sur votre espace dans la maison (Paul Buissonneau a été obligé d'acheter une maison supplémentaire pour y mettre tous les objets qu'il possède!) et de faire de la place pour d'autres choses (qui vous serviront vraiment).

Un autre avantage non négligeable: faire un peu de sous... et délester votre ménage avant le déménagement!

DE TOUS LES GENRES

LA FAMILIALE

Réunissez plusieurs familles et mettez en commun vos ressources (décoration, bouffe, organisation) et vos articles à vendre. C'est extrêmement plaisant de faire une vente de garage en groupe!

La vente de voisins

Privilégiez la clientèle la plus proche: distribuez des invitations dans les rues de votre quartier. Profitez-en pour en faire une fête!

La vente d'organisme

Joignez-vous à l'école de votre quartier ou à votre église pour leur bazar annuel. Vous pourriez même leur vendre tout votre vrac pour un prix forfaitaire... essayez toujours.

L'encan maison

Utilisez de l'argent maison et demandez à une grande gueule de faire le commissaire-priseur. Moi, je l'ai fait à mon dernier déménagement et ça a été un succès! J'ai vendu mon système de son 15 $! Aye, aye, aye...

S'INSTALLER

- Le mieux, c'est toujours dehors, mais vous pourriez utiliser l'intérieur de votre garage avec la porte ouverte. Les gens s'installent souvent devant la maison, mais vous pourriez placer le plus gros de votre inventaire dans votre cour en laissant devant la maison juste ce qu'il faut pour attirer les passants.

- Préparez des étiquettes originales: pourquoi pas une anecdote inventée à propos de l'objet ou encore un prix en kilo de céréales ou autre «unité monétaire». L'idée, c'est d'inscrire quelque chose qui brisera la glace et vous permettra d'entamer la conversation avec les acheteurs.

- Décorez: Des ballons, des guirlandes, des banderoles. Pourquoi pas une grande banderole souhaitant la bienvenue aux visiteurs?

TRUCS

- Installez des pancartes dans votre quartier (et enlevez-les à la fin de la journée!) avec rubans, ballons et lettrage fluo. Pourquoi pas une annonce dans votre journal de quartier?

- *La Presse* offre un tarif spécial aux gens qui annoncent leur vente de garage dans la section «marché aux puces» des annonces classées (285-7111); *Le Journal de Montréal* offre aussi un tarif spécial si vous annoncez votre vente de garage dans la «page aux aubaines» (522-2520).

- Donnez des indications de trajet dans votre petite annonce ou placez de bonnes indications sur la route qui mène à votre maison; ça facilite la venue de la clientèle.

- Soignez votre présentation: offrez des objets propres et placés de telle sorte qu'ils soient mis en valeur. Ce n'est pas le temps de mettre une étiquette de prix sur vos vidanges!

- Indiquez les prix clairement (tout en fixant un prix plancher dans votre esprit) et soyez ouvert à la négociation. Sur certains objets, vous pourriez inscrire «Faites une offre». Utilisez des bandes autocollantes qui s'enlèvent facilement ou encore des étiquettes retenues par des attaches à pain. Si c'est impossible pour certains objets (un train de bois en morceaux, par exemple), mettez l'objet dans un sac en plastique transparent et collez le prix sur le sac. Si plu-

sieurs familles font la vente ensemble, chaque famille devrait avoir sa couleur d'étiquetage.

• Annoncez des prix spéciaux pour ceux et celles qui porteront du rouge, par exemple, ou un cœur.

• On peut louer des tables, des supports et des cintres à vêtements. Les entreprises qui les louent viennent les porter chez vous la veille et les reprennent le lendemain. Cherchez sous «table» ou «chaise» dans les Pages jaunes.

• Arrangez-vous pour avoir de la monnaie en quantité suffisante et munissez-vous d'un sac-ceinture pour y garder l'argent. Peut-être trouverez-vous préférable qu'il n'y ait qu'une seule personne responsable de la caisse, à qui tout le monde ira payer.

SUGGESTIONS

• Enrôlez la bande du quartier pour vous donner un coup de main en échange d'un morceau de pizza et d'une limonade fraîche. Une personne surveille la table des petits objets, une autre s'occupe de la petite caisse, une autre replace les objets sur les tables, etc.

• Vous pourriez permettre à vos «commis d'un jour» de prendre un objet gratuitement et de bénéficier de 20 p. 100 de rabais sur tout le reste de la marchandise.

• Pourquoi ne pas demander à votre club de gymnastique acrobatique de venir faire des «sparages» chez vous? Ce pourrait être le jazz band de la polyvalente ou autre chose... Très souvent, ces jeunes ados seront ravis de pouvoir s'exécuter en public pour presque rien. (Faites un échange de services avec eux, c'est encore mieux!)

- Dites bonjour aux gens qui arrivent!

- Offrez du jus à vos clients; ou, mieux, permettez à votre petite dernière de quatre ans de vendre les verres de limonade 5 ¢ ou 2 ¢: je vous garantis qu'elle adorera ça. Et tant que vous y êtes, aidez-la à faire des muffins ou des biscuits la veille, qu'elle pourra vendre aussi, juste pour le plaisir.

- Faites une fête de cette journée; que chacun soit mis à contribution selon ses talents et y trouve une source de valorisation. C'est l'occasion d'avoir des contacts avec d'autres sans utiliser de boîte vocale ou de télécopieur. Vous verrez, c'est vraiment agréable! Même si vous ne faisiez que vos frais au cours de cette journée, l'important c'est d'avoir eu du plaisir ensemble.

LISTE DE VÉRIFICATION

Quelques semaines avant

- Vérifiez auprès de la municipalité si vous avez besoin d'un permis pour tenir une vente de garage.

- Préparez vos étiquettes et collectionnez les attaches à pain.

- Nettoyez, emballez au besoin et étiquetez votre marchandise.

- Fixez une date (et une autre en cas de pluie).

- Recrutez vos «commis d'un jour».

- Préparez une circulaire ou placez une annonce dans le journal.

LA VEILLE

- Trouvez des tables et des cintres à vêtements.
- Procurez-vous des chaises que vous disposerez autour des tables.
- Allez chercher de la monnaie à la banque (pièces et petits billets).
- Dénichez une très longue rallonge électrique (vous en aurez besoin pour faire la démonstration de la marchandise qui nécessite de l'électricité) ainsi que de la corde (on ne sait jamais).
- Préparez du jus ou des boissons fruitées en quantité; ayez des grignotines pour vos commis (c'est fou ce que les ados peuvent ingurgiter dans une journée).

LE JOUR MÊME

- Placez des indications sur la route qui mène chez vous (avec ballons et tout le tralala).

ORGANISEZ-VOUS!

QUELQUES MORCEAUX DE SAGESSE

Autrefois, on enseignait aux enfants de petites citations qui devaient «éclairer» leur vie et les aider à prendre des décisions plus tard. Voici maintenant quelques morceaux choisis parmi les plus belles citations des personnes les mieux organisées. J'espère qu'elles vous aideront à prendre des décisions et surtout à agir maintenant.

1) Ne le transférez pas de pile, jetez-le.

2) Plus vous en avez, plus ça vous donne de travail!

3) Dans le doute, jetez.

4) Les minutes de planification sont des heures gagnées.

5) N'ayez pas plus de choses que vous n'avez de place pour en mettre.

METTEZ DU «C» DANS VOTRE VIE!

CASEZ

Placez les choses qui vont ensemble, ensemble. Ayez par exemple: un grand panier avec tout ce qu'il faut pour emballer un cadeau; un bac en plastique sous l'évier pour le nécessaire à vaisselle; trois contenants différents dans un tiroir de cuisine pour séparer les ustensiles de service, les couteaux et les autres instruments de cuisine.

CLASSEZ

Trois chemises (au moins!) de trois couleurs différentes: à payer, à faire, à lire. Deux de plus si vous voulez vraiment «performer»: à classer et en suspens. Videz ces chemises toutes les deux semaines (ce qui veut dire jeter ce que vous n'avez pas lu).

CÉDEZ LA PLACE

Pour tout ce dont vous ne vous êtes pas servi depuis un an, vous avez le choix: jetez ou donnez! Ayez une «boîte de dons» dans laquelle vous mettrez toutes ces choses que vous refusez de jeter, mais qui encombrent votre maison.

Et jetez tout ce qui ne va pas dans cette boîte (cela inclut la lampe que vous n'avez pas fait réparer depuis trois ans, les coupures de presse jaunies sur le dessus de votre micro-ondes, etc.).

COMPACTEZ

C'est connu: les objets rassemblés dans un contenant prennent moins d'espace que s'ils sont laissés à l'abandon. En plus, les contenants s'empilent, s'imbriquent ou s'emboîtent. Prévoyez un contenant pour chaque chose: les surplus de matériel de salle de bain (soie dentaire, dentifrice, peignes); même chose pour les surplus de produits de nettoyage, les surplus de matériel de maison (piles, ampoules, chandelles, etc.).

COLOREZ

Une idée qui équivaut à 20 minutes de relaxation pour l'hémisphère gauche de votre cerveau. Attribuez une couleur à chaque membre de la communauté ou de la famille et servez-vous de cette couleur pour toutes les choses qui le concernent dans les lieux communs: étiquetez ses vêtements, sa brosse à dents, ses tiroirs, son panier à linge, la chemise dans laquelle vous rangez ses dessins et ses bricolages. Notez les activités le concernant sur le calendrier commun avec sa couleur. Ce truc est une pure merveille si vous l'utilisez assez fréquemment pour ne pas oublier votre code. Mon agenda est codé par couleurs (dates de tombée, studio, sorties personnel-

les, rencontres, etc.), ainsi que les chemises de mon classeur. On pourrait utiliser un code de couleurs pour les livres d'une bibliothèque, pour les factures et les papiers personnels, pour les objets personnels qu'on apporte au bureau, etc.

Quand vous aurez intégré tous ces C dans votre vie quotidienne, je vous garantis que vous aurez plus de temps pour beaucoup d'autres C: chanter, cuisiner, chasser les papillons, jouer du clairon, courir la galipote, coller vos photos, collectionner les timbres, etc.

LES CONTENANTS DE RANGEMENT

- **Un vieux moule à muffins:** Pour y mettre tous les restes de gouache; les petits objets de la salle de bain (baume pour les lèvres, soie dentaire, épingles à cheveux, élastiques, etc.); tous les petits objets de bricolage comme les boutons, la laine, les tubes de colle, les bouts de crayons de cire; mettez-y vos bobines de fil et votre matériel de couture; peignez-le et placez-le sur votre bureau pour y déposer trombones, punaises et pinces.

- **Les boîtes à deux raisons:** Mettez-y votre matériel de sports d'été avec une étiquette ÉTÉ collée sur un côté. Quand vous le sortirez en mai, rangez-y votre matériel de sports d'hiver et collez une étiquette HIVER de l'autre côté.

- **Les poubelles en plastique:** Très utiles, on leur attribue différentes tâches selon leur

grandeur et leur profondeur. Dans une grosse, placez tous les «vêtements de l'espoir» (ceux que vous espérez pouvoir reporter un jour...) et faites-en un pied de table; servez-vous d'une plus petite pour y mettre tous les vêtements de poupée ou les legos ou les toutous. Une moyenne pourrait abriter des choses difficiles à ranger comme les bricolages que votre petit rapporte de la maternelle, les rouleaux de papier d'emballage, les jouets encombrants comme les épées, les pelles, les bâtons de golf, les objets utilisés pour le ménage: accessoires d'aspirateur, balai, porte-poussière, produits de nettoyage et torchons.

• **Les crochets:** Une pure merveille, les crochets se présentent en différentes grandeurs, couleurs et styles. C'est fou tout ce qu'on peut accrocher: les vêtements; les sacs d'oignons et de pommes de terre; un filet à linge sale derrière une porte; les colliers toujours emmêlés; des cordes à linge intérieures escamotables pour faire sécher les vêtements ou les œuvres d'art; les tasses dans une armoire, les clefs sur un mur, un sac à mitaines près de la porte, les ustensiles de cuisine, le balai et le porte-poussière, une plante qui prend de la place sur le comptoir. L'inventeur des crochets aurait dû recevoir un prix Nobel.

• **Un vieux bouchon d'aérosol** pour ranger les épingles de sûreté, les élastiques à cheveux de la plus jeune, les punaises ou les trombones; pour servir de petite poubelle pour recueillir les rognures de crayon de couleur; pour servir de petit contenant pour faire de la peinture, de petit bol à grignotines pour un bébé ou pour quelqu'un qui surveille ses portions.

- **Des boîtes à chaussures** pour ranger les cartes de souhait de toutes sortes, les peignes, brosses et accessoires à cheveux. En la taillant, faites-en une boîte pour vos médicaments qu'il sera facile de cacher quand les enfants viendront chez vous. Placez-y tout ce qui traîne dans la salle de bain: produits pour les cheveux, produits de beauté ou surplus de boules de coton, de cotons-tiges, etc.

- **Un litre de lait en carton** coupé à la hauteur de votre choix pour y mettre les crayons, les peignes, etc. Un contenant de 2 litres pour les ustensiles de cuisine, les vitamines ou les médicaments, etc.

- **D'autres contenants qu'on peut utiliser:** Un seau de savon à lave-vaisselle, une grosse boîte de savon à lessive, des filets (ceux pour les oignons, par exemple), des pots à plantes inutilisés.

FAITES DES ÉTIQUETTES

Faire des étiquettes est un truc particulièrement utile si vous vivez avec d'autres personnes, surtout si ces personnes ne partagent pas votre goût du rangement. Tout ce que vous mettez dans une boîte devrait être inscrit dessus. Un bon truc: si vous n'arrivez pas à mettre une seule étiquette sur une boîte, c'est qu'il y a quelque chose à jeter...

Faites des étiquettes imagées si vous avez des enfants (et même si vous n'en avez pas); utilisez des étiquettes autocollantes de grosseurs et de couleurs différentes. Celles réalisées à l'aide

d'un ordinateur auront l'avantage d'être de la taille et du style que vous voulez.

Placez des étiquettes sur vos boîtes de linge, de notes et de coupures de presse, vos boîtes de papiers personnels, de souvenirs, de photos. Vous serez certain de vous y retrouver.

AUTRES SUGGESTIONS POUR LA VIE QUOTIDIENNE

- Collez sur le couvercle de votre lessiveuse une liste de trucs pour faire partir les taches.

- Pourquoi ne pas embaucher un étudiant qui viendra tous les samedis matin faire le gros du ménage (aspirateur, lavage de plancher, etc.)? Pas cher, et tellement reposant!

- **Jetez les crayons qui n'écrivent plus.**

- Préparez une boîte où vous mettrez tous les papiers que vous n'osez pas jeter parce que, un jour... qui sait... Quand elle sera pleine, inscrivez-y une date six mois plus tard. À ce moment-là, si vous ne l'avez pas ouverte pendant ces six mois, jetez-la **sans l'ouvrir.**

- Pour sauver votre couple, prenez une grande boîte sur laquelle vous écrirez «Trou noir». Avisez chacun que dorénavant, les choses qui traînent (jouets, bas sales, ceinture abandonnée, vieux sac à lunch à la retraite, etc.) seront aspirées par le trou noir de la maison. Et comme on ne sait pas bien ce qui s'y passe... peut-être ne les reverra-t-on jamais? Voilà un truc infaillible pour toutes celles (et tous ceux, mais où sont-ils?) qui sont fatigués de jouer à la mère avec leur conjoint et au concierge avec leurs enfants. L'essayer, c'est l'adopter.

• Si votre maison a plus d'un étage, vous devez passer beaucoup de temps à monter et à descendre. Pourquoi ne pas laisser près de l'escalier (en haut et en bas) un petit panier dans lequel vous déposerez ce qu'il faut descendre ou monter? Quand il sera plein, vous descendrez tout en même temps.

TRUCS À TOUT FAIRE

POUR VOS VÊTEMENTS

• Redonnez du tonus à une chemise qui fait la gueule en ajoutant quelques cuillerées de fécule de maïs à l'eau de rinçage.

• Utilisez un papier sablé n° 100 (au lieu d'un rasoir à vêtements) pour rajeunir un chandail «moutonné».

• Utilisez du shampooing au lieu d'un savon spécial et cher pour enlever les taches sur vos vêtements. Versez directement sur la tache. Vous pouvez même faire tremper toute la nuit et il ne restera aucun résidu. Ça coûte beaucoup moins cher et c'est tout aussi efficace. Brek est le meilleur, semble-t-il, mais on ne le trouve qu'aux États-Unis... Demandez à une copine de vous en rapporter.

• Les «bas tube» percés aux orteils peuvent être remis à neuf: taillez simplement le bout et refaites une couture en rond; vous avez le même bas, il est tout simplement plus court.

- Lavez les lainages délicats avec une cuillerée de shampooing (n'importe lequel) et versez une cuillerée de revitalisant pour cheveux dans l'eau de rinçage. Pour beaucoup moins que les savons spéciaux, vous obtiendrez le même résultat.

POUR LA MAISON

- Vous pourriez «repriser» votre moustiquaire avec du fil à pêche en «tissant» le trou. Ce ne sera pas un moustiquaire neuf... mais c'est efficace et solide.

- Renouvelez vos abonnements aux magazines de votre choix à l'époque de Noël: on propose toujours des rabais très très intéressants en plus de primes cadeaux... que vous pourrez offrir en cadeau à votre tour. Servez-vous du nom de votre conjoint pour profiter des rabais sur les abonnements offerts en cadeau: ils sont très souvent offerts à la moitié du prix d'un abonnement régulier.

- Faites des bavettes de bébé avec un vieux rideau de douche en plastique. Vous n'aurez qu'à coudre un biais autour du col.

- Utilisez le reste du même rideau de douche pour fabriquer ou recouvrir des coussins pour la chaise haute du bébé.

- Transvidez le shampooing des enfants dans une bouteille à pompe recyclée; ça évite les «débordements» et ça aide à contrôler la quantité utilisée: un coup de pompe pour les cheveux courts et deux coups de pompe pour les cheveux longs.

POUR L'EXTÉRIEUR

- Assemblez les anneaux en plastique des paquets de six canettes de bière pour en faire un panier de basket-ball quand le vôtre aura subi les mortels assauts de votre équipe familiale.

- Nettoyez vos essuie-glace avec une solution moitié eau, moitié vinaigre. Vous serez surpris de voir comme ça leur donne un coup de neuf!

LE PREMIER R: RÉUTILISER

Les trois grands R de l'écologie sont: **réutiliser, recycler** et **récupérer.** On n'a pas toujours l'idée de réutiliser et c'est pourtant le geste le plus facile. Voici quelques suggestions qui vous donneront peut-être d'autres idées.

- Fabriquez des cartes postales avec les cartes de souhaits reçues l'an passé, dont vous aurez découpé la partie «écriture» pour ne conserver que la partie «illustration». Vous pouvez même enjoliver les cartes en collant un ruban gommé de couleur tout autour ou en y traçant des motifs. Ou encore, faites un collage de plusieurs cartes.

- Utilisez les restes de papier peint pour emballer des cadeaux.

- Les gros pots en verre, genre Mason, peuvent être réutilisés:

  - au bureau: mettez-y crayons, élastiques, trombones, etc.;

- dans la cuisine: mettez-y de la nourriture sèche (riz, haricots secs, cubes de bouillon, cacao, etc.);

- dans la salle de bain: pour les boules de coton, les petits savons colorés ou de formes originales, la mousse pour le bain, etc.;

- pour les enfants: placez-y barrettes, élastiques à cheveux, rubans, crayons de couleur;

- faites-en des cadeaux: remplissez-les de pot-pourri, de pâte à modeler maison, de graines de fleurs pour le printemps prochain, etc.; ou encore, faites un terrarium miniature et scellez-le. Quand il y aura de la buée, vous n'aurez qu'à ouvrir le couvercle pendant 24 heures et à le refermer.

- transformez-le en pot-à-faire: placez à l'intérieur des petits bouts de papier sur lesquels sont inscrites les tâches qu'on remet toujours à plus tard et, juste à côté, placez un pot-à-merci: de petites douceurs inscrites sur des petits papiers (un frottage de dos, des biscuits maison, un petit déjeuner au lit, etc.). Chaque fois qu'un des deux conjoints réalise une tâche du pot-à-faire, il a droit à un papier du pot-à-merci. C'est bien sûr l'autre conjoint qui fait la petite douceur...

- faites-en un pot au trésor pour les petits enfants qui viennent vous voir et qui auront le droit d'aller y piger une surprise. Mais une seule!

– remplissez-en la moitié de sable ou de gros sel et plantez-y une chandelle. Cela donne un chandelier du plus bel effet. Dans une coupe en verre dépareillée, c'est encore plus joli.

• Fabriquez des mitaines de cuisine avec le tissu des cuisses de vos vieux jeans ou avec des pièces de velours côtelé. Utilisez un gabarit (rond, carré, ovale) pour couper deux épaisseurs dans la cuisse; placez de la «bourrure» (vieille couche de coton, carré de drap de flanelle, etc.) et cousez une petite ganse pour l'accrocher.

• On peut composter la mousse de sécheuse!

• Placez les restes de savonnettes dans un filet d'oignons en plastique (vide, évidemment!). Ça empêche les savons de se défaire complètement et ça permet de se laver les mains facilement.

• Récupérez les sacs de pain et servez-vous-en pour ranger les viandes et les fromages dans votre frigo; mettez-y également les muffins maison.

• Une vieille serviette de plage peut être taillée en long: vous voilà avec une débarbouillette sur mesure pour vous laver le dos!

• Plutôt que d'acheter des minidébarbouillettes jetables pour bébé, taillez les vieilles débarbouillettes en quatre. Transportez-les mouillées dans un sac de pain vide quand vous sortez. Les vieux linges à vaisselle feront aussi de bonnes petites débarbouillettes pour bébé ou pour le voyage.

• Les boîtes de thon et de saumon vides et bien lavées peuvent devenir de magnifiques emporte-

pièces: retirez-en le dessus et le dessous et moulez-les avec une paire de pinces à pointe fine. Faites des cœurs, des ronds, des triangles, des étoiles (attention, ces dernières sont plus difficiles à réaliser).

- Réutilisez de deux façons les enveloppes dans lesquelles vous recevez votre courrier: découpez votre adresse et recollez-la comme adresse de retour si elle est joliment imprimée; et réutilisez les enveloppes de grand format ou celles à bulles en collant l'adresse de votre destinataire par-dessus la vôtre.

ÉCONOMISEZ 2000 $
PAR ANNÉE ET PLUS

- Faites-vous un lunch par semaine au lieu de manger au restaurant.
- Utilisez des débarbouillettes préparées avec une recette maison au lieu des débarbouillettes jetables pour les fesses des bébés (600 ml d'eau + 2 c. à soupe de shampooing pour bébé + 1 c. à soupe d'huile d'amande).
- Réutilisez les sacs de pain au lieu d'acheter de la pellicule plastique. Mettez-y les viandes froides, les os à soupe en attendant de faire votre bouillon, les sandwichs, les légumes coupés.
- Faites la lessive à l'eau froide.
- Diluez l'assouplisseur avec une quantité égale d'eau. Tout aussi efficace et beaucoup moins cher.
- Récupérez les sacs de lait: ils sont d'un format parfait pour les sandwichs et, comme ils

sont plus épais que n'importe quel autre sac, ils peuvent servir à la congélation sans danger.

• Coupez les feuilles d'assouplisseur en trois ou mettez 1/4 de tasse de vinaigre dans votre eau de rinçage à la place de l'assouplisseur.

• Faites sécher au moins trois brassées de linge par semaine sur une corde au lieu d'utiliser la sécheuse.

• Utilisez du lait en poudre dans vos recettes quotidiennes au lieu du lait entier quand le goût peut en être masqué (biscuits, chocolat chaud, muffins, etc.).

• Suivez des cours de mécanique automobile au Y des femmes à Montréal: ce sont 150 $ très bien placés!

• Aux anniversaires, faites vous-même les décorations, les cartes d'invitation et le gâteau.

• Coupez les cheveux de vos enfants vous-même ou, mieux, faites un échange de services avec une voisine douée pour la coiffure.

• Faites de la soupe avec vos os de poulet et de bœuf et découvrez le grand bonheur d'une soupe maison. Mettez-y tout ce qui reste dans votre frigo! On vous en redemandera.

• Faites votre pop-corn à partir de grains achetés en vrac au lieu d'utiliser des paquets pour le micro-ondes.

• Achetez au moins un tiers de votre garde-robe dans des boutiques de vêtements recyclés.

• Faites un jardin.

• Faites des conserves avec les légumes du jardin.

2

LA CUISINE

Il faut bien dire que la cuisine ne se résume pas à «faire à manger». C'est une activité de partage fondamentale. Préparer le pain ou confectionner du yogourt nous permet de faire quelque chose pour les autres, de leur offrir un peu de notre énergie et de notre vie. Cuisiner, c'est aussi permettre aux enfants d'apprendre ce qu'est une alimentation saine. Pas besoin d'y passer toutes vos économies, bien au contraire. Cuisiner à peu de frais est un art qui s'apprend. Il existe des trucs et des idées pour épargner. Nos grands-mères les connaissaient, mais bien peu se sont rendus jusqu'à nous. Il ne s'agit absolument pas de manger moins bien. Il suffit de combiner des **aliments peu coûteux,** tout aussi savoureux mais qui doivent être préparés un peu plus longuement. Certaines coupes de bœuf, par exemple, sont coriaces si on les cuit à la poêle mais totalement géniales si on les fait mariner quelques heures...

D'une façon générale, on peut dire que tout ce que vous faites vous-même vous fera épargner. Mais pour cela, il faut avoir du temps. N'est-il pas inquiétant de savoir que dans notre société, les gens n'ont plus le temps de préparer à manger à leurs enfants, un des besoins primaires de la vie?

CUISINEZ À PEU DE FRAIS

CUISINEZ AVEC DU TOFU

Le tofu ne coûte presque rien, ne goûte presque rien et on en fait ce qu'on veut. C'est une source de protéines comparable à la viande, mais pour le tiers du prix. Bouquinez pour trouver un livre de recettes de tofu qui vous intéresse. Soyez rusé et fouinez dans les ventes de garage: c'est époustouflant la quantité de livres de recettes qu'on y trouve.

On n'est pas obligé de présenter le tofu en cubes (quand c'est le cas, j'ai toujours l'impression de mâcher une poignée d'élastiques!). On peut le réduire en miettes à l'aide d'une fourchette; il se mélange alors très facilement à d'autres ingrédients. On peut aussi le passer au robot culinaire; on obtient alors, en ajoutant un peu de liquide, une crème onctueuse. Pourquoi ne pas en mettre dans la soupe, la pâte à crêpes ou la quiche?

CUISINEZ LES RESTES

Tout se recycle en cuisine. La grande question qui revient toujours est: qu'est-ce que je fais de ces trois bouchées dans le fond de la casserole? Vous les conservez, c'est tout. Ne jetez rien: tout peut être sauvé! Avec des connaissances de base en matière de mariage de saveurs, vous pourrez faire de petites merveilles. Soyez créatif! Dans la pire des éventualités, vous pourrez toujours déposer vos infructueux essais dans votre bac à compostage...

ORGANISEZ LES RESTES

- Vous pouvez toujours faire de vos restes du souper des lunchs pour le lendemain. Vous prendrez la peine de les agrémenter d'éléments nouveaux, bien sûr. Je connais beaucoup de gens qui font systématiquement leurs lunchs de cette façon.

- Sinon, placez tout au fur et à mesure dans un contenant de 5 litres au congélateur. Une fois par semaine (ou moins, peut-être?) vous en ferez quelque chose. La veille, sortez le contenant pour le faire dégeler.

- Congelez chaque reste individuellement... en étiquetant son contenu évidemment! Ne le faites pas si vous avez le goût de l'aventure: vous aurez une surprise chaque fois que vous sortirez un plat du congélateur. Cette technique n'est bonne que pour les restes offrant une portion raisonnable; ou alors inscrivez sur le contenant qu'il ne contient que trois bouchées.

«PASSEZ» VOS RESTES

- Un souper surprise: Vous alignez les plats de restes que vous aviez congelés à mesure (non identifiés pour les aventuriers!) sur le comptoir et chacun en choisit un…

- La soupe sans fin: Tous vos restes dans un bouillon de poulet ou de bœuf. À peu près tout peut être mis dans cette soupe: pâtes, riz, légumes, même les restes de quiche, de viande en casserole, de sauce à spaghetti, de poisson, etc. Quand la soupe devient vraiment trop «consistante», passez-la au mélangeur: voilà un potage copieux!

- Une tarte-à-tout: Dans un fond de tarte, déposez les restes de légumes d'abord puis les restes de viande. Versez-y un peu de sauce (ou de soupe épaissie!) que vous aurez assaisonnée de fines herbes ou d'épices selon ce que vous avez mis dans votre tarte-à-tout; recouvrez d'une seconde pâte à tarte et faites cuire à 180 °C pendant 30 minutes.

- Faites un miracle! Transformez carrément un plat en autre chose. Les quiches sont formidables pour ça: on n'y reconnaît presque pas le plat d'origine (4 œufs + 1/4 tasse de lait battus ensemble et versés sur vos restes dans une croûte.)

- Pourquoi pas une casserole? Des restes de viande peuvent être complétés avec du riz et gratinés avec du fromage. Vous pouvez aussi ajouter des boulettes de pâte à grands-pères sur des restes de bœuf et de légumes avec un peu de béchamel. Mettez tout cela au four jusqu'à ce que la pâte soit cuite.

- Un pain de rien: De la même famille que le pain de viande, ce plat est un mélange de restes de viande, de légumes, de pâtes, de n'importe quoi, auquel on ajoute un œuf battu, un peu de sauce et de la chapelure. On presse le tout dans un moule à pain et on cuit 40 à 50 minutes à 180 °C.

Quoi faire avec...

- Des biscuits trop cuits: De la chapelure; un fond de tarte (mélangez-les avec du beurre fondu et du miel); le début d'un pouding: émiettez les biscuits dans le fond d'une casserole et mélangez ces morceaux à un pouding instantané au chocolat.

- Du pain sec: Du pain doré; de la chapelure, un pouding au pain.

- Des fruits trop mûrs: Une salade de fruits (enlevez les morceaux abîmés), un lait fouetté aux fruits, une tarte rapide (tous les fruits coupés étendus dans un fond de tarte cuite; recouvrez le tout de crème fouettée).

Un livre pour vous aider: *Ce sera encore meilleur demain,* de Françoise Prévost, aux éditions Anne Carrière (Québec-Livre est le diffuseur au Québec), 1993, 33,95 $.

Françoise Prévost est une comédienne française qui a écrit plusieurs autres livres dont *150 recettes pour cuisinières nulles.* (Ça m'a tout l'air d'être autobiographique. Il s'est vendu à 150 000 exemplaires: et ça, ce n'est que le nombre de nulles avouées!) Ce livre a de nombreuses qualités (même s'il est très «français» par certains côtés): des consignes et des aliments simples (pas de cari de la Thaïlande ni de mar-

rons marinés)!; des mesures très simplifiées (une pointe de ceci, un petit verre de cela); un classement par type de restes (restes de bœufs, de pâtes, de riz, de porc, de poireaux, de carottes, etc); des sauces vite faites; des épices qui changent tout; des recettes de pâte à tarte rapido; des recettes qu'on peut modifier à son goût.

ÉCONOMISEZ SUR VOTRE FACTURE D'ÉPICERIE

FAITES VOS MENUS

Adieu légumes oubliés dans le tiroir à légumes et maintenant agonisants; adieu viande moche et, surtout, adieu achats de dernière minute parce qu'on ne sait plus ce qu'on a dans nos armoires. Les menus vous font économiser parce que vous pouvez évaluer ce que coûteront vos envies de la semaine; de plus, votre nourriture sera plus variée parce que ça ne vous tentera pas de remettre du pâté chinois sur votre menu pour la troisième fois en deux semaines. Il y a toutes sortes de façons de faire des menus; vous n'êtes pas obligé d'en faire un carcan. Ce peut être n'importe quoi entre préparer un menu quotidien détaillé pour chaque jour et simplement écrire des idées en vrac parmi lesquelles vous en choisirez une chaque jour.

Même écrite très très vaguement, cette petite liste a au moins deux avantages:

1) Vous ne vous casserez plus la tête devant votre armoire en vous demandant ce que vous avez envie de manger, ce que vous avez ou ce qui reste.

2) Vous serez certain d'avoir tout ce qu'il faut pour préparer ce que vous voulez. Rien de plus choquant que de constater en plein milieu d'une recette qu'on n'a plus de moules fumées alors qu'on était certain d'en avoir encore...

SURVEILLEZ LES SPÉCIAUX ET VISITEZ PLUSIEURS ÉPICERIES

La plupart du temps, les épiceries ne sont pas très éloignées les unes des autres et ça vaut le coup de faire le tour pour se procurer les aliments en solde dans chacune. Feuilletez les circulaires et **inscrivez le prix spécial sur votre liste d'épicerie.** N'achetez rien que vous ne consommez pas d'habitude simplement parce que le produit est en spécial! Chaque semaine, je visite au moins deux épiceries différentes avec mes deux enfants; vous pouvez au moins en faire autant!

LE CAHIER DE PRIX

Inscrivez dans un petit cahier les produits que vous avez l'habitude d'acheter, le prix le plus bas que vous avez payé et l'endroit où vous l'avez obtenu. Cela vous permettra de comparer les «spéciaux» annoncés pour savoir si c'en est vraiment. Lorsque ce sera le cas, vous saurez que vous ferez de vraies économies. Ce sera le temps de stocker! Vous n'êtes pas obligé d'inscrire dans ce cahier tout ce que vous achetez à l'épicerie! Notez-y surtout les produits dont les prix fluctuent. La viande, par exemple, le beurre d'arachide, les légumes, etc.

Si vous inscrivez également la date, vous verrez se dessiner des cycles de spéciaux et vous pourrez savoir quand viendra la prochaine réduction sur les cuisses de poulet fraîches...

ACHETEZ EN GROS

Il existe maintenant de nombreux entrepôts d'alimentation ouverts au public: Club Price, Presto, SDA Mayrand et le tout nouveau Pain et Beurre sur le plateau Mont-Royal. Évidemment, si vous revenez avec un panier plein d'économies qui vous ont en fait coûté 350 $, je ne suis pas certaine que vous ayez fait une bonne affaire! Si vous ne pouvez résister à tous ces produits étalés en grand, demandez à quelqu'un d'autre d'aller y faire vos achats. En échange, vous pourriez passer chez Métro pour lui...

Quelques adresses:

• Mayrand Limitée SDA: 5650, boul. Métropolitain Est, à Saint-Léonard, 255-9330. Ils ont une succursale où vous trouverez seulement des fruits et légumes au 362, boul. Crémazie Ouest, 382-3720.

• Presto: 5400, rue Henri-Julien, à Montréal, 279-1408; 785, rue Rielle à Verdun, 767-8131; 1833, boul. Curé-Labelle à Chomedey, 681-3014 et 925, boul. Ste-Foy à Longueuil, 679-5952.

• Club Price: surveillez votre annuaire, il en pousse beaucoup...

• Pain et beurre: 2119, ave Mont-Royal Est à Montréal, 524-2267. Vous trouverez là toute l'épicerie de base et une gamme importante de produits naturels au prix des entrepôts mais en emballage plus raisonnables. Pas de caisse de douze bouteilles de ketchup!

ACHETEZ EN VRAC

Le grand avantage de l'achat en vrac, c'est de pouvoir acheter la quantité dont on a besoin. Ce sont surtout les magasins d'aliments naturels qui ont lancé le vrac, mais on en trouve maintenant dans à peu près toutes les épiceries. Il faut bien connaître les prix du marché, car le vrac n'offre pas toujours de faramineuses économies!

Quelques adresses:

• Épices Anatole: 6822, boul. Saint-Laurent, Montréal, 276-0107. Voilà un grossiste qui vend aussi au détail: 60 variétés de thé, des essences, des noix, des fèves, des choco-lats, beaucoup d'épices, du riz. Plus vous achetez de choses, plus il vous fera un bon prix.

• Frenco en Vrac: 3985, boul. St-Laurent à Montréal, 285-1319. On y trouve vraiment de tout; des produits de beauté en vrac aux vitamines en passant par les fruits séchés et les haricots secs.

• Tau: 4238, rue Saint-Denis, au nord de Rachel. Probablement le premier de tous les magasins d'aliments naturels. Vous y trouverez toutes les sortes de haricots et de légumineuses, beaucoup de produits biologiques et quantité d'autres produits.

LES SURPLUS DE BOULANGERIE

Les produits de boulangerie ont l'avantage immense de pouvoir se congeler facilement et de dégeler sans préjudice, si je puis dire. Les surplus de boulangerie vendent les produits de la veille à la moitié du prix et même moins. J'ai vu très souvent des douzaines de pains à hamburger pour 0,60 $ et des gâteaux glacés pour 1 $.

Quelques adresses:

• Boulangerie Pom Bakery, 4100, rue Adam; 2038, rue Centre, 931-7016 (fermé le lundi); 511, rue de Courcelle, 934-1866.

• Magasin Budget, 8575, 8e Avenue, Montréal-Nord, 374-2700. Ici, vous trouverez, entre autres, des produits de l'Europe de l'Est.

3

LES ENFANTS

Les enfants sont certainement ce que le bon Dieu a trouvé de mieux pour garder bien vivantes les grandes personnes! Aucun interrupteur, une autonomie de fonctionnement illimitée ou presque et d'immenses besoins d'amour. Vous trouverez dans ce chapitre toutes sortes d'idées qui m'ont aidée à vivre avec mes deux cocos et m'aident encore à continuer de croire que les enfants sont la chose la plus importante au monde! Et pour bien vous mettre dans le bain, je vous offre une charte des droits des parents de mon cru.

À l'heure où les enfants nous répondent qu'on porte atteinte à leur intégrité physique quand on les oblige à prendre un bain, et surtout avec toutes ces personnes qui leur donnent raison, il est temps de remettre les pendules à l'heure. Les parents méritent certainement qu'on reconnaisse leur charge de travail immense et leur bonne volonté. Alors que tout le monde leur dit quoi faire avec leurs enfants, je voudrais leur dire, moi, tout ce qu'ils ont le droit d'être au milieu du salon, quand tous les jouets de la maison ont été essaimés et que le panier à linge sale ne ferme plus. Quand rien ne va plus et qu'il n'y a personne d'autre pour prendre le quart de nuit après une journée de 16 heures...

CHARTE DES DROITS DES PARENTS

1) Les parents ont le droit de ne pas savoir quoi faire. Même quand le petit s'écrase à terre, bleu marine, au milieu de la rangée des produits surgelés de l'épicerie.

2) Les parents ont le droit d'imaginer qu'ils lancent leurs enfants au bout de leurs bras, qu'ils les tranchent en rondelles et les offrent en cadeau à quelqu'un. Ils ont même le droit de dire qu'ils imaginent tout cela.

3) Les parents ont le droit de pleurer quand ils ont de la peine, quand ils se sentent dépassés, quand ils sont fatigués. Ils ont aussi le droit de pleurer pour rien.

4) Les parents ont le droit inaliénable de se tromper. Ils ont alors le devoir de s'en excuser.

5) Les parents ont le droit d'avoir un ou une amie intime qui leur frottera le dos dans les moments de découragement.

6) Les parents ont le droit de prendre autant de photos qu'ils veulent.

7) Les parents ont le droit d'avoir l'air ridicule en tout temps en se roulant par terre, en participant à un concours de grimaces, en se déguisant en lapin de Pâques, surtout si c'est pour faire rire leur petit trésor.

8) Les parents ont le droit de hurler à pleins poumons à la tête de toutes les personnes, adultes ou enfants, qui blessent leur petit, le brutalisent, le méprisent, l'insultent, l'humilient, l'embrigadent ou en abusent.

9) Les mères ont le droit de porter des pantalons moulants, des décolletés profonds et des talons aiguilles sans que personne ne doute de leurs qualités de bonnes mères.

10) Tous les parents ont le droit qu'on leur dise qu'ils font bien leur travail de parent.

11) Les parents ont le droit de donner des becs sur les fesses de leurs enfants. Les pères et les mères ont le droit de caresser leur petite fille et leur petit garçon en les serrant dans leur bras, en les enlaçant, en leur donnant des becs dans le cou, sur les joues, sur les yeux, sur les oreilles, les cuisses, alouette!

12) Les parents ont le droit d'avoir un enfant qui ne se développe pas plus vite que celui de la voisine et ne brise aucun record d'intelligence.

13) Les parents ont raison de croire qu'ils sont ceux qui connaissent le mieux leur petit et ils ont le droit de le dire au prof, au médecin et à tous ceux qui veulent intervenir auprès de leur enfant.

Conséquemment, les parents ont le droit d'être en désaccord avec le prof, le médecin, l'orthopédagogue, l'éducatrice de garderie et tous les autres. Et, oui, ils ont le droit de ne pas suivre leurs conseils.

14) Les parents ont le droit inaliénable de se plaindre.

15) Tous les parents qui le souhaitent devraient pouvoir préserver et entretenir un contact régulier et significatif avec leur enfant. Même si, pour ce faire, ils devraient être accompagnés.

BERLINGOTS BRICOLEURS

BRICOLER AVEC DES BOÎTES DE LAIT VIDES

LA PETITE HISTOIRE

Un soir d'hiver, assis à la table de sa cuisine, Richard Deshaies s'est mis à tripoter un litre de lait en carton vide. Il l'a tant tripoté qu'à la fin il en fit un camion avec les rétroviseurs, les jantes de roues, les garde-boue et tout et tout. Le lendemain soir, encouragé par sa réalisation de la veille, Richard en tripota d'autres et en fit une maison avec œil-de-bœuf, galerie de sœur, pignon, gouttières, lucarne, girouette et même paratonnerre! Richard allait-il se laisser emporter par la fièvre du bricolage? Oui! Après le camion et la maison, sa cuisine se remplit encore avec le traîneau du Père Noël, un hélicoptère, un avion et un grand voilier. Sa nièce, psychologue de formation, à qui Richard avait envoyé son

premier camion, eut l'idée d'en faire un bricolage didactique. Elle lui proposa de rédiger des cahiers qui permettraient aux enfants de réaliser ces jouets, étape par étape. Ce qui fut dit fut fait et les Berlingots Bricoleurs virent le jour.

LES CAHIERS

- Pour les enfants de 5 à 13 ans. Vous trouvez dans le même cahier une version simplifiée pour les plus jeunes et plus élaborée pour les plus grands. Ces derniers peuvent même aller au-delà du cahier et ajouter au modèle d'autres accessoires. Par exemple, au camp d'été de Richard, les jeunes de 12 ans ont inventé des systèmes de suspension pour leur camion!

- Trois cahiers ont été publiés: le camion, la maison et le traîneau du Père Noël.

- Matériel utilisé: colle, ciseaux, boîte de lait vide d'un litre. Parfois, un rouleau de papier de toilette vide. C'est tout.

- Chaque cahier propose:
  - un historique de l'objet (les transformations des maisons à travers le temps, par exemple);
  - un jeu de vocabulaire (associer les mots avec leur correspondance dans le dessin);
  - la réalisation du bricolage étape par étape: vraiment très bien expliquée, claire, simple et encourageante;
  - un patron pour tracer les morceaux; on peut le photocopier et conserver l'original pour un autre bricolage plus tard;

– un mot-caché sur le thème du cahier;

– un jeu des erreurs.

UNE BELLE OCCASION...

- ... d'entreprendre quelque chose avec votre enfant.

- ... pour lui de développer sa dextérité manuelle, sa concentration et sa créativité.

- ... pour le parent d'être fier de son petit et de le lui dire.

- ... de faire confiance à l'enfant et de ne pas faire le bricolage à sa place.

- Parfait pour les profs, les éducatrices de garderie et toutes les personnes qui travaillent avec les enfants, dans les hôpitaux, dans les centres d'accueil, dans les familles d'accueil.

- On peut se procurer les trois cahiers en librairie, aux éditions Héritage. On peut aussi obtenir des animations en classe réalisées par monsieur Deshaies ou madame Mercier pendant lesquelles ils réalisent le bricolage avec les enfants.

> Berlingots Bricoleurs
> Richard Deshaies
> (514) 645-2446
> pour toute la région de Montréal
>
> Diane Mercier
> (819) 285-2556
> pour la région de Trois-Rivières

APOLOGIE DES COUCHES EN COTON

Un petit mot, d'abord, pour dire que chacun fait de son mieux dans la vie. Passer des couches en papier aux couches en coton ne devrait pas être un acte de soumission aux gourous du terrorisme environnemental et encore moins à l'idée qu'on se fait d'être un bon modèle pour nos enfants. Seulement, je crois que certaines informations manquent à la plupart des parents pour faire un choix éclairé en matière de couches. Voici mon humble contribution aux connaissances de l'humanité...

COMBIEN ÇA VOUS FERA ÉCONOMISER

Disons qu'un paquet de couches coûte environ 15 $ (je tiens compte ici des coupons rabais et des spéciaux, car il faut être totalement insouciant ou riche à craquer pour acheter ses couches au prix régulier). Même en tenant compte du fait qu'il y a plus de couches dans les paquets pour les tout-petits, comme il faut les changer plus souvent, on en utilise à peu près la même quantité. Un paquet dure environ huit jours (si le petit n'a pas la diarrhée...), donc vous utilisez environ 50 paquets par an, pour la somme de 750 $. Comme les enfants daignent utiliser les toilettes vers l'âge de trois ans, ça fait 2250 $ par enfant. Si nous ajoutons les petites serviettes humides (420 $ pour trois ans), vous voilà rendu à 2770 $ par enfant. Wow!

Combien coûtent les couches en coton? Entre 60 $ pour trois douzaines de carrés de coton et 250 $ pour un super ensemble de trois douzaines de couches préformées avec boutons-pression en plastique et tout le tralala.

Mais si vous êtes rusé (et vous l'êtes, bien sûr), vous vous les faites offrir avant l'accouchement, au premier anniversaire du bébé, à Noël, etc. Vous pouvez vous les refiler d'une belle-sœur à une autre. Vous pouvez aussi les acheter usagées. Vous pouvez en acheter quelques-unes chaque mois si vos finances ne vous en permettent pas plus. Vous pouvez commencer avec des carrés de coton et passer aux couches préformées à mesure que votre budget vous le permet.

Utiliser des couches en coton au lieu des couches en papier vous fera économiser environ 2500 $ par enfant.

LES OBJECTIONS COURANTES

1) Je ne retournerai pas au temps de ma mère!

Il existe maintenant toutes sortes de couches en coton; si les carrés de flanelle existent toujours, vous avez cependant beaucoup d'autres choix. La plupart des couches sont préformées, c'est-à-dire qu'elles ont la forme des couches en papier. On les attache avec du velcro ou des boutons-pression, ce qui n'est pas plus compliqué que les collants des couches en papier! Il existe même des doublures en papier: on les dépose dans la couche en coton

et ça permet de ramasser le plus gros des selles sans tacher la couche ni avoir besoin de la frotter en la rinçant. Il existe des doublures jetables et d'autres permanentes qu'on lave et qu'on réutilise. Les culottes en plastique d'aujourd'hui peuvent être très mignonnes. Au changement de couche, on rince la couche dans la cuvette des toilettes en frottant les parties particulièrement souillées, on tord la couche et on la dépose dans un seau d'eau claire avec du vinaigre.

2) Plus de travail?

Le surplus de travail est ridiculement petit. Il faut de toute façon essuyer les fesses du bébé; il faut bien disposer de la couche (la jeter ou la rincer: une différence de 15 secondes, je l'ai minuté). Avec un enfant aux couches, ça représente environ une ou deux brassées de plus de lavage par semaine (ça dépend de l'âge du bébé, parce que les petits utilisent plus de couches). Il est vrai cependant qu'on doit changer l'enfant de couche plus souvent. Les poupons seront changés aux 2 heures et les plus grands aux 4 heures.

3) Est-ce que ça sent mauvais?

Beaucoup, beaucoup, beaucoup moins que des couches en papier! Il existe aujourd'hui un seau à couches de papier qui diminue les odeurs mais qui coûte presque 50 $. Mais même ce seau spécial n'empêche pas la crise d'apoplexie au moment de changer le sac... Cependant, je connais un bon moyen pour que les couches en coton ne sentent rien: un grand seau d'eau avec 1/4 tasse de vinaigre. Aucune odeur, parole d'honneur!

4) Les fesses rouges?

Les bébés aux couches en coton ont généralement beaucoup moins de problèmes de fesses rouges que les autres. Premièrement, ils sont changés plus souvent; deuxièmement, le coton est plus doux que le papier (habillez-vous en papier toute la semaine prochaine... vous verrez bien). Moi, je mets de la vaseline sur les fesses de ma fille et ça lui va très bien! Beaucoup moins cher et encore plus imperméabilisante que n'importe quelle crème de foufounes.

5) Et l'hygiène?

Quel est le problème exactement? Vous enlevez la couche et essuyez les fesses de l'enfant. Ensuite, s'il y a une selle, vous rincez la couche dans les toilettes pour en enlever le plus gros, puis vous mettez la couche dans le seau d'eau. Si c'est une couche de pipi, vous la mettez simplement dans le seau. Et après, vous vous lavez les mains. Ne le faites-vous pas déjà avec les couches en papier? D'ailleurs, si vous lisez bien ce qui est indiqué sur les paquets de couches en papier, vous verrez que les manufacturiers disent de rincer les couches souillées de selles, car il est illégal de disposer de matières fécales dans les ordures... Na!

TRUCS POUR LAVER LES COUCHES

On peut les faire tremper dans l'eau savonneuse récupérée d'un lave-vaisselle portatif: aucune contre-indication, je me suis renseignée.

On recommande généralement de faire tremper les couches dans du borax ou un désinfectant quelconque. Mais vous pouvez éviter le désinfectant: lavez vos couches à l'eau chaude savonneuse et faites-les sécher dans la sécheuse: la température élevée détruira les bactéries.

Vous pouvez également simplement faire tremper vos couches dans de l'eau vinaigrée, les laver à l'eau froide au Tide avec Javel et les faire rincer deux fois à la fin du cycle.

Toutes ces méthodes sont hygiéniques: trouvez celle qui convient aux fesses de votre bébé et à votre style de vie.

COMMENT PASSER DU PAPIER AU COTON

Moi, je dis toujours: allez-y doucement. Si vous utilisez encore des serviettes humides jetables, commencez donc par les remplacer par des débarbouillettes. Vous aurez à les rincer dans la toilette s'il y a des selles et à les placer dans un seau d'eau. Faites-le pendant trois ou quatre semaines, pour que ça devienne une routine. Vous verrez déjà une différence financière.

Commencez par utiliser des couches en coton le jour ou même pour des demi-journées puis «étirez-en» l'usage jusqu'au soir puis jusqu'à la nuit.

Continuez d'utiliser des couches jetables pour vos sorties à l'extérieur jusqu'à ce que la routine des couches en coton soit parfaitement installée.

La vie de l'être humain est la somme de ses habitudes; il n'est pas si difficile de les modifier.

DANS LES GARDERIES?

Il n'y a aucune raison pour que les garderies refusent d'utiliser des couches en coton. Les mesures d'hygiène sont les mêmes pour les deux types de couches. La charge de travail est la même également: les mères récupéreraient les couches rincées à la fin de la journée, dans leur seau.

Faites des pressions auprès de la direction de votre garderie, expliquez les procédures aux responsables et fournissez-leur les informations qu'il leur manque pour passer au coton. Chaque famille paie 15 $ par semaine par enfant pour les couches en garderie! En passant au coton, les garderies permettraient aux parents d'épargner pas loin de 700 $ par an, par enfant. Voilà un geste significatif pour qui déclare vouloir soutenir les parents...

Quelques adresses:

• Bummis, 123 Mont-Royal ouest, Montréal, 289-9415. Comme c'est un manufacturier, les couches y sont vraiment très peu chères.

• Indispensables: 1-800-663-1730. On vous donnera à ce numéro les représentantes qui se trouvent le plus près de chez vous

puisqu'il s'agit de vente à domicile seulement.

• La Mère Hélène, couches de coton: 1-800-659-2959. Voilà deux femmes qui ont pris le taureau par les cornes en désignant elles-mêmes une couche de coton qui convient de la naissance à l'âge de la propreté. Elles sont à Sherbrooke mais se déplacent régulièrement à Montréal et Québec pour faire des démonstrations.

ÉDUCATION COUP DE FIL

ANONYME, GRATUIT ET CONFIDENTIEL

• Éducation coup de fil est un service de consultation téléphonique: c'est-à-dire qu'on n'y assure pas simplement de l'écoute, mais aussi de l'intervention téléphonique. L'idée, c'est d'aider le parent à prendre soin de son enfant et à bien vivre son rôle de parent.

• Gratuit, anonyme et confidentiel. Le ton est très pratico-pratique et sans jugement aucun. Les femmes qui répondent sont très empathiques et ce n'est jamais arrivé qu'elles doivent dire à quelqu'un: «Je suis désolée, il n'y a rien à faire.»

• Les consultations durent le temps qu'il faut: généralement entre 45 minutes et 1 heure 30. Si vous avez besoin d'un suivi pour une situation plus épineuse, on peut vous donner des rendez-vous téléphoniques jusqu'à six semaines de suite. De toute façon, vous pouvez appeler autant de fois que nécessaire; toutes les semaines s'il se présente un problème toutes les semaines!

- On y trouve six intervenantes, toutes mères de famille sauf une (mais qui a une si grande expérience de travail avec les parents et les enfants que c'est tout comme...) et qui ont toutes une formation appropriée: elles sont travailleuses sociales ou psycho-éducatrices. L'une d'elles est Haïtienne.

- Quelques exemples de sujets qu'elles traitent: tout ce qui concerne les 0 - 5 ans (rivalité frère et sœur, colère, propreté, sommeil, jeux, chicanes, enfant qui mord, qui ne décolle pas de sa mère, qui ne veut pas se coucher, etc.); tout ce qui concerne l'ado et le pré-ado (les heures de rentrée et de sortie, l'habillement, les conflits, le vol, etc.); tout ce qui concerne la séparation des parents et la recomposition des familles; et aussi tout pétrin ponctuel: la mort d'un animal, une hospitalisation, un changement de garderie, l'immigration, les suites d'un incendie, etc.

- Groupes L'Après-séparation: trois fois par année, elles organisent des rencontres pour les parents qui se séparent ou se sont séparés ou encore ceux qui sont en train de recomposer une famille. Série de huit rencontres de 2 heures 30 chacune. Ces groupes ont un énorme succès!

- Elles ont reçu 2500 appels l'an dernier. Elles sont subventionnées par Centraide, le ministère de la Santé et des Affaires sociales et le ministère de l'Éducation. Ce qui ne vous empêche pas de leur envoyer de l'argent...

- Éducation coup de fil existe depuis 10 ans et a été fondé par Madeleine Laperrière, travailleuse sociale.

- Ces femmes font vraiment ce qu'on appelle de la prévention: le genre de chose qu'on ne peut pas calculer en dollars, mais qui empêche de «scrapper» des enfants... C'est le genre de services qui devraient être subventionnés largement, mais qui ne le sont que peu parce que «ça paraît pas sur la facture un parent qui est un meilleur parent».

Éducation Coup de fil
525-2573
Du lundi au vendredi de 9 h à 11 h 30
et de 13 h à 16 h
Le mercredi de 9 h à 11 h 30,
de 13 h à 17 h et de 18 h 30 à 21 h

ENTRAIDE-GARDIENNAGE

Les associations de gardiennage sont des regroupements de familles sans but lucratif qui permettent aux mères à la maison d'avoir un peu de répit, de sortir de leur isolement, de participer à des activités avec d'autres familles et d'échanger des tuyaux sur le travail de mère.

En fait, l'entraide-gardiennage existe depuis que les femmes ont des enfants; à la campagne et même en ville, il n'était pas rare autrefois qu'on demande à une voisine de garder ses petits dans des cas d'urgence ou spéciaux comme un accouchement, un accident, un déménagement ou des courses urgentes à faire. Mais les associations formelles de gardiennage ont vu le jour à Montréal-Nord il y a 15 ans.

Ce sont généralement des associations de quartier: Ahuntsic, Centre-Sud, Côte-des-Neiges, etc. Il n'existe aucun regroupement régional ou même provincial. Elles peuvent regrouper entre 20 et 100 familles, et les plus grandes ne sont pas nécessairement à Montréal. Dans toute la province, on compte entre 30 et 40 groupes, dont une vingtaine dans le Grand-Montréal, y compris une quinzaine seulement sur la Rive-Sud (du fleuve à Granby en passant par Contrecœur, Varennes et Saint-Amable).

Les frais d'inscription (qu'on paie une seule fois pour toute la période d'utilisation du réseau) varient entre 10 $ et 20 $.

Avec ça, on obtient en général des coupons de garde équivalant à 40 heures par enfant ainsi que la liste des autres membres du groupe, leur numéro de téléphone et parfois leur disponibilité pour le gardiennage. Vous pouvez utiliser ces coupons au départ, puis vous devez garder d'autres enfants pour obtenir de nouveaux coupons.

Comment sont choisis les participants? Certaines associations font carrément une enquête dans le genre de celle que fait la police pour les membres de Parents-secours; d'autres font d'abord des entrevues avant d'accepter les candidatures, tandis que d'autres ne demandent rien de plus qu'une cotisation. Mais dans tous les cas, une personne de l'organisation vous rendra visite pour s'assurer que vos installations sont sûres.

Le but des associations d'entraide-gardiennage, c'est surtout de permettre à leurs membres de tisser des liens avec d'autres familles, ce qui leur

permet de se créer un réseau de soutien et d'amitié important. Toutes les jeunes mères à la maison avec leur bébé auraient avantage à entrer dans un groupe d'entraide-gardiennage, parce que ce sont celles qui vivent le plus d'isolement. La plupart des femmes à qui j'ai parlé ont bâti des amitiés très solides dans ces réseaux. L'une d'elles, nouvellement arrivée dans sa région, n'y connaissait personne. Elle est entrée dans un groupe de gardiennage et en trois semaines, elle avait créé des liens vraiment intéressants. Elle affirme que c'est ce groupe qui lui a permis de s'intégrer dans sa région.

Pour créer de tels liens, les groupes organisent des activités environ une fois par mois, ce qui vous permet de connaître les personnes à qui vous confierez vos enfants.

On peut faire garder ses enfants le jour, le soir, la nuit ou la fin de semaine; cela dépend si d'autres membres du groupes sont prêts à garder à ces heures. **Mais ce n'est pas un système de garderie à la maison.** On garde les enfants quelques heures, mais certainement pas tous les jours et toute la journée.

- D'abord pensé pour les mères à la maison, ce service peut être extrêmement utile à celles qui travaillent à l'extérieur de la maison: pour faire garder leurs enfants les soirs de sortie, par exemple, ou les fins de semaine.

- Il existe une brochure de 27 pages destinée aux personnes qui souhaiteraient mettre sur pied un groupe d'entraide-gardiennage, *L'entraide-gardiennage,* publiée par la Fédération des unions de familles. Vous pouvez l'obtenir par la poste: 6 $ pour la brochure et 1,25 $ pour les frais postaux.

- Si vous voulez savoir s'il existe une association d'entraide-gardiennage dans votre région ou dans votre quartier, téléphonez à la Fédération des unions de familles au (514) 288-5712 ou à votre CLSC.

JEUX POUR L'ÉTÉ

Jouer, c'est plus qu'un divertissement. C'est l'occasion d'être tous égaux, chacun étant soumis aux mêmes règles de jeu. C'est l'occasion de laisser parler notre enfance, de lâcher notre fou, de rire un bon coup! Jouer, c'est prendre congé de notre agenda et du cellulaire! Jouer crée de l'ambiance et révèle des parties de nous-mêmes que nous ne connaissions peut-être pas. Le jeu réunit les enfants et les adultes, les jeunes et les moins jeunes, les maladroits et les génies, les personnes limitées et celles qui le sont moins. Jouer, c'est abandonner les conventions et les qu'en-dira-t-on. C'est un pied de nez aux contraintes de la vie quotidienne. C'est une bouffée d'air frais. Jouer, c'est vraiment comme lancer un grand cri à la vie.

Si vous êtes le meneur de jeu, soyez enthousiaste et direct. Ne vous laissez pas refroidir au début par les hésitations de votre groupe. Choisissez soigneusement votre premier joueur parmi les plus enthousiastes et les plus énergiques. Vous devriez

vous en tirer facilement avec quelques bons jeux et un gros tralala! Amusez-vous comme des petits fous. Et je vous promets qu'on parlera encore de votre fête dans cinq ans.

- **La méduse:** La méduse brûlante est un ballon. Dans l'eau, à un endroit où chacun a pied, placez-vous en cercle avec chacun une éponge ou un plat en plastique dans la main. Au signal, tentez de faire toucher la méduse à un joueur mais sans y toucher vous-même, en la faisant se déplacer grâce aux éponges et aux mouvements des plats en plastique. Cris et éclaboussures garantis!

- **Le rallye-papier:** Un ou deux adultes partent en avant et laissent des traces que les autres suivent à 10 minutes d'intervalle. Les traces du passage peuvent être des flèches sur des bouts de papier ou de petits bouts de laine qui indiquent le chemin aux endroits stratégiques. Cette chasse se tient évidemment sur un parcours assez sinueux ou un terrain assez accidenté pour la rendre corsée. L'arrivée peut se faire autour d'un bon pique-nique au plus bel endroit de la balade. 3 joueurs ou plus.

- **Course de bougies:** Un jeu de nuit! Deux ou trois joueurs s'affrontent en même temps. Une bougie allumée à la main, ils doivent parcourir une distance déterminée le plus rapidement possible. Lorsque sa bougie s'éteint, le joueur doit retourner à son point de départ pour la rallumer. Portez des gants! 2 joueurs ou plus.

- **Les échecs équestres:** Sur un jeu d'échecs, vous jouez avec les mêmes pièces que d'habitude sauf que toutes se déplacent comme les cavaliers. Beaucoup de plaisir pour les mordus d'échecs. 2 joueurs.

- Mot-clé: Un Mastermind de mots. Le premier joueur écrit un mot de quatre lettres: bail, par exemple. Le deuxième joueur écrit et dit à voix haute un mot de quatre lettres: bise, par exemple. Alors, le premier joueur compare les deux mots et signale les lettres communes, sans en indiquer la place ni le nombre. Dans notre exemple, il dirait que le «b» et le «i» sont bons. En essayant des mots, le deuxième joueur repère les lettres composant le mot à trouver.

- Crève-ballon: Avec de la ficelle, fixez trois ballons au niveau des hanches des joueurs. Au signal, on assiste à une joyeuse bousculade, chacun essayant de crever les ballons du voisin avec des coups de hanche. 4 joueurs et plus.

- Coupure de presse: Dans un vieux journal, un des joueurs découpe un article puis découpe les colonnes en deux dans le sens de la longueur. Il en remet une des moitiés aux autres joueurs qui doivent deviner de quoi parle l'article.

- Chaîne de trombones: On bande les yeux de deux ou même quatre joueurs et on enclenche un décompte de trois minutes (avec un compte-minute qui fait du bruit, c'est encore plus drôle) en plaçant devant eux une boîte fermée pleine de trombones. Chacun des joueurs s'efforce alors de former la chaîne de trombones la plus longue possible en les enfilant les uns dans les autres.

- Château de cartes: Même méthode que le jeu précédent, sauf qu'il s'agit ici de réussir à dresser un château de cartes. Les autres joueurs peuvent encourager les prétendants... mais ce n'est pas certain que ça les aidera!

- Qui suis-je?: Sur des feuilles de papier, on inscrit le nom de personnages connus; un nom par feuille, tous différents. On accroche une feuille au dos de chaque joueur sans qu'il puisse voir ce qui y est écrit. Chacun doit alors essayer de découvrir le nom de son personnage en posant des questions à tous ceux qu'il rencontre, lesquels ne peuvent répondre que par oui ou non. C'est un jeu merveilleux pour briser la glace au début de la fête.

- Course à relais à la valise: Chaque équipe est munie d'une valise qui contient une grande jupe, un chapeau, une blouse et un foulard. On forme des équipes de trois. Le premier coureur doit enfiler les vêtements et courir avec sa valise jusqu'au prochain point de contact. Il enlève alors tous les vêtements, les remet dans la valise et donne le tout à son coéquipier. Rires garantis!

JOUJOUTHÈQUES

Les joujouthèques sont des organismes sans but lucratif qui fonctionnent selon le même principe que les bibliothèques. On vous y prête des jouets (y compris des livres) pour tous les groupes d'âge. Une idée vraiment géniale pour pallier le désintéressement des enfants pour leurs propres jouets.

JOUJOUTHÈQUE HOCHELAGA-MAISONNEUVE

Au 3946, rue Adam à Montréal, 523-6501 ou 523-2643. Elle célèbre cette année son dix-neuvième anniversaire et les gens et les garderies s'y approvisionnent de partout autour de Montréal. On y fait le prêt de jouets et de livres, la location de matériel et d'ameublement de bébé et la cueillette de jouets neufs ou brisés. Pour utiliser tous ces services, il n'en coûte que 20 $ par année et 75 $ pour les garderies.

PRÊTS

On a le droit de sortir trois jouets et trois livres pour quinze jours. On peut renouveler par téléphone le prêt pour deux autres semaines.

Horaire: lundi et mardi: 10 h à 18 h
mercredi: 10 h à 20 h

Jouets: De la naissance à 99 ans; en tout plus de 8 000 jouets disponibles. Aucun jeu violent ou de guerre. Hochets; jeux de pichenottes; tricycles, patins à roulettes, raquette de tennis, de badminton, de ping-pong; des déguisements; du matériel de bricolage, etc.

Vrac: des jouets en vrac comme des duplo et des bloc lego; des blocs de bois; toutes sorte de jeu de construction.

Livres: livre-jeu, contes, histoires, livres de référence, etc.

LOCATIONS

On peut y louer des déguisements (tous fabriqués à partir de matériel recyclé) et bien sûr, du matériel de base pour les bébés. Il vous en

coûtera 20 $ pour toute la période de chaque location de matériel (pour les costumes, ce sont d'autres tarifs) + 30 $ de dépôt remboursable lorsque vous remettez le matériel en bon état.

Horaire: jeudi et vendredi : 10 h à 17 h

Matériel: - siège d'auto (pour une période de 3 mois)
- balançoire de bébé (pour 3 mois)
- parc (pour 3 mois)
- porte-bébé (pour 6 mois)
- chaise haute (pour 3 mois)
- poussette (pour 3 mois)
- barrière de sécurité (pour 3 mois)

CUEILLETTE DE JOUETS

La joujouthèque a toujours besoin de jouets et elle en recueille toute l'année. On peut vous fournir un panier de collecte pour installer sur votre lieu de travail. Certains jouets seront envoyés à la joujouthèque pour les prêts, d'autres à la Luciole (voir plus bas). Ce qui reste ensuite est préparé pour donner en cadeau à Noël. L'an dernier, la joujouthèque Hochelaga-Maisonneuve a donné plus de 44 000 jouets en cadeau de Noël à des enfants de milieux défavorisés.

LA LUCIOLE, ACHAT ET RAMASSAGE DE JOUETS

La Luciole est un atelier de réparation de jouets qui se trouve tout près de la Joujouthèque: 2179, rue Desjardins, 254-6731. On y répare les jouets reçus qui sont brisés et on trie les jouets neufs. Vous pouvez y acheter des jouets pour le tiers du prix... ou aller y porter ceux dont vos enfants ne se servent plus.

Horaire: du mercredi au vendredi, 11 h à 20 h

JOUJOUTHÈQUE DE ROSEMONT

5675, rue Lafond (près de Saint-Michel, à la hauteur de Rosemont), Montréal, 728-0332.

Horaire: mercredi: 9 h 30 à 11 h 30 et 19 h à 20 h
vendredi: 9 h 30 à 11 h 30

Coût: 16 $ de septembre à mai
(fermé pendant l'été)

Prêts

Pour deux semaines, renouvelable par téléphone; deux jouets et un casse-tête **ou** un jouet et deux casse-tête.

Jouets: Pour enfants de 5 ans et moins, plus quelques jeux de société. Environ 600 jouets disponibles.

Cueillette de jouets

Toute la saison, on peut apporter même les jouets brisés ou en mauvais état. La Joujouthèque les vend au Bazar annuel (généralement en mai) et achète des jouets neufs avec l'argent.

MAGAZINES POUR LA FAMILLE

Les magazines qui parlent de la famille sont un soutien constant dans mon travail de mère. Ces revues sont un peu la «formation continue» des parents d'aujourd'hui. J'ai appris beaucoup grâce à elles. Elles m'ont souvent remonté le moral ou mis du baume sur mes peines. Elles offrent des sujets de réflexion ou de confrontation; elles me permettent de préciser mes valeurs, mes choix et mes priorités. Je vous en suggère ici quelques-unes.

LE FAMILIER

Fédération des unions de familles: 890, boul. René-Lévesque Est, Montréal, H2L 9Z9, 288-5712; 3 numéros pour 20 $.

La Fédération des unions de familles est un organisme sans but lucratif qui fait la promotion de la famille. L'organisme regroupe des associations et des groupes de parents ou de familles. Il ne verse pas dans la polémique même s'il fait ce que j'appelle de la vraie action politique: des gestes qui changent les manières de faire et de voir. Cette fédération publie un magazine, *Le Familier.*

On y trouve:

- des renseignements concernant le colloque annuel sur l'action municipale et la famille (très grosse expertise en matière de politiques familiales municipales);

- les prix de la famille que la fédération remet chaque année (à des groupes ou à des personnes qui ont fait avancer la cause de la famille);

- des renseignements du Centre québécois de ressources à la petite enfance (vachement intéressant!);

- le calendrier des activités de la fédération;

- les calendriers d'activités des différents groupes (ateliers, cours, séminaires, colloques, réunions thématiques, conférences);

- une page bibliographique: résumé d'ouvrages ou de coupures de presse répartis en 13 catégories qui vont des loisirs à l'alimentation, en passant par l'éducation et la sécurité, avec commentaires. On vous dit où les trouver, combien ils coûtent.

- On devient membre individuel pour 10 $ par année, et on reçoit *Le Familier* gratuitement.

LE MAGAZINE ENFANTS QUÉBEC

Éditions Hachette (pour l'abonnement) 2924, boul. Taschereau, bureau 201, Greenfield Park, J4V 3P1, 875-4444. Cinq numéros par année pour 12,99 $.

On y trouve:

- des articles sur la vie familiale, les soins aux enfants, la psychologie, l'école, le gardiennage, l'éducation, les loisirs;
- des articles de spécialistes (Danielle Laporte, Gilles Julien, Germain Duclos) et de quelques journalistes;
- des chroniques intéressantes:
  - les petites annonces (le meilleur endroit pour trouver des vêtements et du matériel de bébé usagés)
  - le babille-arts (calendrier culturel pour enfants)
  - clips (brèves informatives)
- Ce que je préfère dans ce magazine: les mots d'enfants qu'on y reproduit: «Un papa, c'est grand; une maman, c'est moyen; un garçon de cinq ans, c'est grand mais c'est plus petit.»

MOTHERING

- Il n'y a pas de mot français pour *mothering*. Le plus proche serait le maternage, mais au sens le plus large du terme; c'est-à-dire pourvoir aux besoins des enfants physiquement, émo-

tionnellement, mentalement et moralement. Et ne vous laissez pas leurrer par l'appellation féminine: beaucoup de pères lisent cette revue.

- Les sujets: l'allaitement, le langage, l'école à la maison, le divorce, les punitions physiques, les sages-femmes, l'accouchement, etc. Beaucoup de récits de maternage, beaucoup d'idées diffusées comme ça sur l'art d'être parents.

- Même les annonces sont intéressantes: c'est le seul endroit que je connaisse où l'on propose des vêtements pour les femmes qui allaitent. On y trouve aussi toutes les sortes de couches en coton possibles; des vêtements pour les enfants; des porte-bébé de toutes sortes, beaucoup mieux pensés que ceux qu'on trouve dans les magasins; des annexes pour un lit familial; des jouets en bois; des objets d'art liés à la naissance, etc.

- C'est une des très rares revues à grand tirage qui soit publiée par une personne réelle et non par un empire d'édition.

- Je la lis d'une couverture à l'autre. Je déguste l'éditorial de Peggy O'Mara, qui est toujours une lumineuse réflexion sur la vie, l'autorité, l'estime de soi, la dépendance et l'indépendance. Finalement, ça déborde toujours de la famille et ça résonne dans notre vie à tous. Voilà un éditorial qui nourrit notre vie quotidienne et qui n'est pas seulement l'étalage d'une opinion personnelle comme c'est trop souvent le cas dans nos magazines.

- Cette revue laisse beaucoup de place aux lettres de lectrices. Beaucoup, beaucoup. Et ce ne sont pas des lettres ordinaires; ce sont souvent des lettres en réponse aux autres lettres et qui informent vraiment les lectrices.

• Cette revue est basée sur l'idée que les parents sont des experts et qu'il s'agit de leur permettre de faire des choix éclairés dans leur travail de parent. Je vous la recommande vivement.

• 4 numéros par année; 23,95 $ US (payable en argent canadien si on veut).

Tél.: 1 800 827-1061, une ligne disponible même au Canada.

SERVICES AUX MÈRES EN DEVENIR ET NOUVELLES MÈRES

ACCOMPAGNATRICES ET SAGES-FEMMES

• Alternative-Naissance, 990-6155: service d'accompagnement à l'accouchement et de référence en périnatalité. Un répondeur prend vos messages en tout temps.

• Centre de consultation en maternité, Pierrette Tanguay, 4691, avenue de Lorimier, 522-6523: Cette infirmière a 20 ans d'expérience et offre des services d'accompagnement à l'accouchement, c'est-à-dire qu'elle vous rencontrera trois fois pendant la grossesse puis vous accompagnera à votre accouchement. Elle se rendra chez vous au début du travail et restera avec vous à l'hôpital jusqu'à une heure après l'accouchement. Le forfait comprend également des appels téléphoniques illimités après la naissance et une visite dans

les premières semaines. Mme Tanguay offre aussi des cours prénatals en piscine et des consultations individuelles. Environ 550 $ pour trois rencontres pendant la grossesse, l'accompagnement lui-même (peu importe le temps qu'il dure), une rencontre après l'accouchement et autant de coups de téléphone que vous voulez!

- Centre de ressources pour la naissance (Trois-Rivières), 1413, boul. Desforges, (819) 370-3822: écoute téléphonique, rencontre d'allaitement, cours prénatals, yoga prénatal et accompagnement à l'accouchement.

- Naissance-Renaissance, 530, rue Cherrier à Montréal, 843-9552. Voilà une mine d'or pour obtenir les numéros de téléphone de groupes communautaires qui offrent des services en périnatalité dans pratiquement toutes les régions du Québec. Ils tiennent aussi un des plus importants centres de documentation sur l'accouchement, la maternité et tout ce qui touche le sujet de la périnatalité. Vous pouvez les joindre du lundi au jeudi, de 8 h 30 à 16 h 30.

RELEVAILLES ET SOUTIEN

- Groupe d'entraide maternelle Petite-Patrie, 495-3494: Réseau de marraines. De jeunes mères ayant reçu une formation de base viennent en aide à d'autres nouvelles mères qui se sentent un peu dépassées ou qui sont seules. Elles les écoutent, les aident et les réconfortent dans leurs compétences parentales. Pour une période de 8 à 12 semaines à raison de 5 heures par semaine. Ouvert à toutes, pas seulement aux femmes qui vivent dans le quartier. Déjeuners hebdomadaires mère-enfant, ateliers donnés par une psychologue, une infirmière, avec un service de garde pour les enfants. Sorties, ateliers de magie, de sculpture, de ballons. Écoute, référence.

- Mères-visiteuses (Fondation de la visite), 329-2800: Des femmes triées sur le volet et formées pour apporter un soutien psychosocial aux nouvelles mères en difficulté ou qui se sentent débordées. Disponible 24 heures sur 24, 7 jours par semaine, ce service est gratuit! Pour les quartiers Bordeaux-Cartierville, Hochelaga-Maisonneuve, Lachine et Montréal-Nord. Clientèle habituellement référée par le CLSC, mais vous pouvez appeler si vous avez besoin d'aide et que vous habitez un des quartiers que la fondation dessert.

- Relevailles de Montréal, 640-6741: Pour parents avec enfants de deux ans et moins; on y offre des cours et des rencontres avec un service de garde d'urgence. On peut aussi vous offrir un service d'entretien ménager à prix très abordable: 6 $ pour trois heures, vendus en bloc de quatre (donc 24 $ pour 12 heures de travail).

- Grands-mères caresse, 376-4613: Service de soutien des familles. Visites de 3 heures par semaine par des grands-mamans bénévoles. Elles sont là pour écouter, pour échanger et pour soutenir les parents débordés ou en difficulté.

ALLAITEMENT

- Ligue La Leche: 525-3243. Il s'agit d'un service de support téléphonique entièrement gratuit et disponible 24 heures sur 24. Un répondeur sophistiqué vous donnera le numéro de téléphone d'une monitrice certifiée de la Ligue qui se trouve le plus près de chez vous. Toutes les monitrices ont elles-mêmes allaité leurs enfants et en connaissent un bout sur les joies et les difficultés de l'allaitement!

- Technicienne en lactation, Dany Elkhoury, 923-3792: Elles sont deux ou trois au Québec, formées aux États-Unis avec l'équivalent d'un certificat. Ce sont des spécialistes de la technicalité de l'allaitement. Si votre bébé a des difficultés à téter et que personne dans votre groupe d'entraide ne peut vous aider, appelez-la. Elle m'a beaucoup aidée avec mon deuxième bébé.

- Fédération des CLSC du Québec, 931-1448. Pour obtenir le numéro de votre CLSC. Pratiquement tous les CLSC organisent des groupes d'entraide à l'allaitement et au maternage.

VÊTEMENTS D'ENFANTS

- Triez les vêtements maintenant et RANGEZ À PART ceux qui ne font plus.

- Organisez une journée d'échange avec vos amies pour vous refiler les vêtements d'enfants.

- Avec les plus beaux vêtements qui sont trop petits et que vous n'avez pas réussi à donner, vous pouvez:
  - les rafraîchir et les offrir en cadeau;
  - les placer en consignation pour les vendre;
  - les offrir en bazar à un organisme de charité.
- Avec les «vraiment finis», vous pouvez:
  - garder les fermetures éclair, les boutons et autres accessoires pour effectuer les petits reprisages nécessaires à d'autres vêtements;
  - faire des «guenilles de char» (qui deviennent inutilisables avec le temps!);
  - les transformer en vêtements de poupée;
  - confectionner de petits sacs à billes et à trésors pour vos enfants.

POURQUOI NE PAS VOUS METTRE À LA COUTURE?

- C'est moins cher, sauf si vous achetez du tissu à 15 $ le mètre...
- Pourquoi ne pas organiser un «party» de couture avec vos copines, trois fois par année (à la rentrée, en janvier et au début de l'été). C'est plus stimulant de coudre à plusieurs et vous pourrez ensuite vous échanger les vêtements.
- Si vous ne cousez pas vous-même, peut-être pourriez-vous faire un échange de service avec une amie: un pantalon contre un repas mijoté pour quatre?

MAGASINS DE VÊTEMENTS USAGÉS

Les bons magasins de vêtements usagés vous offrent de vraies aubaines; n'hésitez plus! Le truc consiste à aller voir souvent puisque l'inventaire change souvent.

- Village des valeurs: des vêtements pour toute la famille!
- 4906, rue Jean-Talon ouest, 739-1962
- 6779, rue Jean-Talon est, 254-0433
- 2033, boul. Pie IX, 528-8604
- 7427, boul. Newman à LaSalle, 595-8101
- 801A, boul. Taschereau à Greenfield Park, 923-4767

- Boutique Trading Post: 26 Valois Bay à Pointe-Claire, 695-1872.

- Le Vestiaire: 9, rue Centre commercial à Roxboro, 683-3107. Ouvert de 13 h à 16 h. On y trouve aussi des vêtements de maternité usagés.

- Brin d'usure: 955, boul. Taschereau à La Prairie, 659-0882. Vêtements d'enfants de 0-16 ans et vêtements de maternité. On y prendra aussi vos meubles de bébé en consignation et on partagera les profits avec vous.

- Mères et mousses: 401B, rue Samuel de Champlain à Boucherville, 641-0645. Vêtements d'enfants naissance à 10 ans, vêtements de maternité, jouets et couches de coton de marque «indispensables». 60% de vêtements usagés et 40% de neuf. Fermé dimanche et lundi.

- Oz: 342, rue Victoria, à Montréal, 485-9610. De beaux vêtements très chic. On y prend vos vêtements à vendre en consignation.

- Grand-Maman Surprise: 4610 Papineau à Montréal, 521-3022. Vêtements usagés et accessoires d'enfants (jouets, siège d'auto, lit, etc.) de la naissance à 6 ans.

VÊTEMENTS NEUFS À RABAIS

Dans les magasins de vêtements neufs à rabais, on trouve des surplus d'inventaires, fin de lignes, faillites, de légères imperfections, etc. La plupart offrent des vêtements de la naissance à 16 ans.

- Textil Goldex: 8875, rue Salley, LaSalle, 365-9699
- Triks: Place Bonaventure, Centre 2000 à Laval, Plaza Côte-des-Neiges.
- Créations Moni: 1000, rue Beaumont (angle L'Acadie), Montréal, 273-0155.
- Les trois chatons: 5983, rue Jean-Talon est, Montréal, 255-1988.
- Vêtements pour enfants et bébés: 5530, rue Casgrain, 2e étage, Montréal, 272-6255.
- Osh Kosh (l'entrepôt): 625, DesLauriers à Ville St-Laurent, 745-1280

RANGEMENT

- Installez des crochets au mur, à la hauteur des enfants. Ils pourront y accrocher les vêtements qui traînent habituellement sur le plancher ou que vous devez accrocher et décrocher 20 fois par jour.

- Au lieu de mettre la corbeille par terre, achetez-en une jolie (en osier, par exemple) et posez un crochet au mur pour la suspendre. De cette façon, les tout-petits ne pourront pas la vider sans arrêt...

- Si vous installez des étagères dans la chambre de vos enfants, ne les placez jamais au-dessus de leur lit: on ne sait pas quand elles vont tomber! Mais surtout, placez-les à la hauteur de l'enfant. En plus de lui permettre de participer au rangement très tôt, ça lui donne du pouvoir sur sa vie.

- Rangez les jouets par catégories dans de grandes boîtes en plastique avec un couvercle (on en trouve dans les grands magasins de matériel de maison). Inscrivez dessus ce qu'elles contiennent: Lego, voitures, bonhommes, animaux, etc. Si vos enfants sont petits, collez sur la boîte une image qui en représente le contenu. La règle est ensuite facile à appliquer: on range les jouets dans leur boîte avant d'en sortir une autre...

- Attribuez un panier à linge à chacun des membres de la famille. Une fois qu'il est plein, faites un seul lavage à l'eau froide: ça ne déteindra pas et le rangement sera facilité. Mieux: vos grands adolescents n'auront plus de raison d'attendre que vous fassiez la lessive.

- Installez un calendrier bien en vue et à la hauteur de tout le monde pour y inscrire les événements et les rendez-vous de toute la famille. Non seulement vos enfants pourront ainsi se familiariser avec la notion du temps, mais chacun aura accès aux informations utiles à la communauté: la rentrée scolaire, les fêtes de famille, les vacances, les tâches comme le ramassage des feuilles à l'automne ou le vidage de la piscine, par exemple.

- Chacun devrait peut-être avoir un calendrier dans sa chambre pour ses activités personnelles: rendez-vous chez le dentiste, ménage de sa chambre, invitation à une fête, etc.

- Si vos enfants ont l'âge de renverser leur verre de jus quotidien, gardez à portée de la main une bouteille-vaporisateur remplie d'un mélange de 1/4 d'eau pour 3/4 de vinaigre: vos planchers ne seront plus collants.

- Retenez la serviette à main à son support en pinçant ensemble deux coins de la serviette avec des anneaux à rideaux. De cette façon, les petits pressés ne pourront pas l'abandonner par terre.

- Avez-vous déjà songé à accrocher vos notes et les chefs-d'œuvre des enfants ailleurs que sur la porte du réfrigérateur? Pourquoi pas sur les portes d'armoire de cuisine avec de la gomme bleue qui colle?

- Pour accrocher les dessins d'enfants quand ils arrivent par dizaines, j'ai suspendu une ficelle d'un coin à l'autre du mur de la chambre de mon fils et j'y épingle ses œuvres avec des pinces à linge.

- Utilisez un grand panier à linge pour y mettre tout ce qui traîne dans la maison. Faites le tour de la maison avec votre panier de temps à autre. Vous pourrez placer chaque chose à sa place et ramasser ce qui traîne dans les autres

pièces. En deux tours de maison, vous devriez avoir tout rangé mais n'avoir fait qu'un demi-kilomètre au lieu des trois que vous marchez généralement pour tout ramasser et tout ranger.

- Une autre idée consiste à placer un panier dans votre salon et à y déposer systématiquement tout ce qui traîne (livres, chaussures, jouets, etc.). Le premier enfant qui veut regarder la télé doit nécessairement le vider avant. Ou bien votre problème de rangement est réglé ou bien vos enfants n'écouteront plus la télé. Vous gagnez dans les deux cas!

Spécialement pour bébé

COUCHES JETABLES

- Couche: 9375, rue Meaux à Saint-Léonard, 321-6636, ouvert du mercredi au samedi. On y trouve des sacs géants de 200 petites couches à 120 grandes couches jetables mal pliées (voilà pourquoi elles sont moins chères) et parfois de petits paquets de couches ordinaires. Téléphonez avant de vous présenter car les arrivages varient beaucoup.

- L'entrepôt des couches: des sacs de couches (120 petites, 90 moyennes ou 75 grandes) pour environ 21 $. Téléphonez avant d'y aller.

  - 780, montée Ste-Julie à Ste-Julie, 922-2340

  - 1688, chemin de Chambly à Longueuil, 442-9787

  - 3294, boul. Taschereau à Greenfield Park, 466-1614

POUSSETTES, PARCS, ETC.

- CLSC. Pratiquement tous les CLSC louent ou même prêtent gratuitement des parcs pour enfants, des sièges d'auto, des chaises hautes, etc. Renseignez-vous à celui de votre quartier.

- Joujouthèque Hochelaga-Maisonneuve: 3946, rue Adam, 523-6501 ou 523-2643. Elle loue parc, siège d'auto et chaise haute pour presque rien!

- La Leche. Pour louer ou acheter des tire-lait, c'est vraiment le meilleur endroit. On vous conseillera selon vos besoins. Si votre bébé est hospitalisé (ou vous-même), la Leche vous louera un tire-lait électrique au coût de 50 $ par mois (il vaut plus de 500 $). Vous pouvez vous fier à leurs conseils et votre marraine viendra même vous montrer à vous en servir.

RÉPARATION

- Dorel (manufacturier): 4750, boul. des Grandes-Prairies, Montréal, 323-5701. Pour trouver un morceau manquant à n'importe quelle pièce de matériel pour bébé (poussette, chaise haute, etc.) ou pour faire faire une réparation. Ils offrent un service diligent. J'ai voulu faire réparer un parc d'enfant qu'ils avaient fabriqué et on me l'a carrément remplacé par un neuf.

- Meubles juvéniles Décarie: 5167, boul. Décarie à Montréal, 482-1586. On y répare les poussettes.

- Monsieur poussette: 3598A, rue Jean-Talon est, Montréal, 723-0701. On y répare aussi toutes sortes d'accessoires de bébé comme des sièges d'auto, des chaises hautes, etc.
- Bébé roulant: 3957, rue Monselet, Montréal-Nord, 327-9813.

VÊTEMENTS

- Les sous-sol d'église tiennent généralement une vente de vêtements d'enfants au moins une fois par semaine. On y trouve de vrais petits bijoux!
- Les bazars annuels des écoles et les ventes de garage sont de vraies cavernes de trésors!
- Village des valeurs: 4906, rue Jean-Talon Est, Montréal, 739-1962 et d'autres adresses.
- L'Armée du Salut: 1620, rue Notre-Dame Ouest, Montréal, 935-7425.

LES LOISIRS

À la fête de Dollard, au printemps dernier, nous sommes allés jouer au base-ball avec une bande d'amis et d'amis d'amis. Une vingtaine d'adultes qui hurlaient à pleins poumons pour encourager leurs coéquipiers, sautant à pieds joints devant un but sur balle... quel magnifique spectacle pour la ribambelle d'enfants qui y assistaient sans croire tout à fait que nous étions bien leurs parents! On a ri beaucoup, on a couru pas mal, on est tombé souvent et on s'est bousculé un tout petit peu. Mon Dieu qu'on a passé une belle journée!

Les grands penseurs nous apprennent que le bonheur est une question d'équilibre. Travailler 12 heures par jour n'a jamais rendu personne heureux, quoi qu'en disent vos meilleurs amis boulomanes! Cette semaine, pourquoi ne pas vous réserver du temps pour rire, pour serrer ceux que vous aimez dans vos bras, pour lire un bon livre, pour rencontrer des gens intéressants? Vous m'en donnerez des nouvelles.

DE L'ÉQUIPEMENT SPORTIF À PEU DE FRAIS

APOLOGIE DES RÉPARATEURS

C'est évidemment beaucoup moins cher que du neuf. Ça fait travailler du monde d'ici. Ça fait aussi circuler l'idée qu'on ne consomme pas «facilement», qu'on ne jette pas les choses simplement parce qu'elles ne sont plus parfaitement neuves; bref, que les choses ont de la valeur.

Peut-être serez-vous surpris d'apprendre tout ce qu'on peut réparer: des palettes de ski brisées, un tente déchirée, une semelle de soulier de course et j'en passe. Comme les réparateurs sont généralement également vendeurs de matériel neuf, peut-être vous faudra-t-il insister parfois pour obtenir une réparation...

Quelques adresses:

• **Golf**

Golf UFO: 491, ave Viger ouest, Montréal, 393-1800.

• **Bicyclette**

Cycle Bagio: 6975, boul. St-Laurent, Montréal, 279-5655.

West Island Sport: 559, Bord du lac, Dorval, 636-1324.

Il y en a tellement... allongez-vous le bras!

- **Patin à roues alignées et planche à roulettes**

West Island Sport: 559, Bord du lac, Dorval, 636-1324.

- **Plongée sous-marine**

Sport Nautique Waddell: 6356, rue Sherbrooke ouest, Montréal, 482-1890.

West Island Sport: 559, Bord du lac, Dorval, 636-1324.

- **Raquettes**

Murray Sport: 1200, rue Peel, Montréal, 861-9636.

West Island Sport: 559, Bord du lac, Dorval, 636-1324.

- **Ski nautique**

Sport Nautique Waddell: 6356, rue Sherbrooke ouest, Montréal, 482-1890.

- **Gants de baseball**

Murray Sport: 1200, rue Peel, Montréal, 861-9636.

- **Hockey**

Murray Sport: 1200, rue Peel, Montréal, 861-9636.

- **Skis**

Boutique du ski autrichien: 4942, chemin de la Côte-des-Neiges, Montréal, 733-3666.

- **Souliers de course**

Endurance: 6579, rue St-Denis, Montréal, 272-9267. On y ressemellera vos précieuses chaussures de course pour environ 20 $.

LOUEZ: VOUS POURREZ L'ESSAYER SANS L'ADOPTER

La location de matériel de sport vous permet d'essayer un sport sans y laisser la peau des fesses (par exemple, un équipement de ski pour enfant coûte 79 $ pour une saison, un équipement de ski de fond pour adulte, 25 $ pour trois jours). On peut généralement louer l'équipement à la journée, à la semaine, au mois ou pour la saison. Très souvent, le prix de location sera déduit du prix d'achat si jamais vous sentiez le grand appel du sport et achetiez l'équipement par la suite. De plus, le matériel de location est généralement de fabrication récente, ce qui facilite grandement l'appel du sport en question (comment aimer le camping dans une tente qui prend l'eau?).

ACHETEZ USAGÉ ET AYEZ BONNE CONSCIENCE

On oublie souvent que le premier geste écologique, la base, le début du commencement, c'est de réutiliser les objets. En achetant des équipements usagés, vous faites ce geste. Plusieurs endroits vous échangeront votre vieux matériel contre du neuf pour vraiment pas cher. Cela vous permet d'essayer une nouvelle passion dont on ne sait si elle durera plus que les roses... L'achat de matériel usagé devient un impératif quand il s'agit des enfants: les 400 $ de skis et de bottines que vous venez d'acheter ne lui feront plus l'an prochain.

Quelques adresses de matériel usagé et/ou de location:

- Doug Anakin Sport: 454A, boul. Beaconsfield à Beaconsfield, 695-0785 et au 16,889, boul. Hymus à Kirkland, 697-3576.

  Ouvert sept jours par semaine; on peut y acheter de l'équipement usagé (même des équipements de hockey); on peut y échanger ses anciens équipements pour d'autres usagés ou pour du neuf à bas prix. On vous louera également le matériel dont vous avez besoin pour faire l'essai d'un sport.

- Échange de ski: 54, rue Westminster Nord, Montréal, 486-2849.

  Ouvert à partir du 15 septembre jusqu'au 30 mars. Ski alpin et ski de fond. On accepte les échanges; on peut aussi louer de l'équipement à la journée, à la semaine, au mois ou pour la saison. On y loue même des équipements de hockey. Le prix de location peut être déduit à l'achat.

- La poubelle du ski: 8278, boul. St-Laurent, Montréal, 384-1315.

  Ouvre en septembre. Ski de fond et ski alpin. On peut échanger ou vendre nos vieux skis. On peut échanger les patins du petit contre une pointure plus grande pour 10 $. Ils ont aussi des vêtements de ski neufs à bas prix. On peut louer de l'équipement de ski de randonnée. On y loue aussi des supports d'auto pour transporter des skis ou des vélos.

• Sports aux puces: 1153, avenue du Mont-Royal Est, Montréal; 255, boul. Taschereau, La Prairie, 444-1106; 1950, chemin du Fer à Cheval, Sainte-Julie, 922-4007.

Ski, vélo, camping et hockey. On y trouve de vraies aubaines sur de l'équipement neuf; on peut y faire des échanges; on peut acheter usagé.

• **Les ventes de garage,** dans lesquelles on trouve parfois de petits trésors. J'ai vu de mes yeux vu une paire de patins à roues alignées pour 5 $ l'été dernier...

• **Les clubs d'échange** sont également de bons endroits à fréquenter. Ils sont généralement organisés par les écoles et se tiennent en début d'année scolaire. Parfois, les presbytères ou les clubs de hockey du quartier en organisent également. Pour connaître les dates et les adresses, consultez vos journaux locaux.

DES JEUX POUR LE PLAISIR

Lâchez-vous lousse, comme on dit! Laissez votre petit enfant intérieur rigoler un bon coup. Celui qui aimait tant sauter à pieds joints dans les flaques d'eau. Roulez-vous à terre, «tiraillez-vous», comme on disait dans mon enfance. Les jeux sont de merveilleuses façons d'entrer en contact avec les autres... et avec soi-même. Les jeux que je vous propose peuvent être réalisés pour la plupart à l'extérieur autant qu'à l'intérieur. Ils amuseront d'ailleurs les petits comme

les grands. Adaptez-les à votre groupe en particulier, si le cœur vous en dit.

- La princesse et le dragon: Une princesse est
  attachée à une chaise avec des écharpes ou
  des foulards noués aux chevilles, aux bras et à
  la tête. Un autre joueur, les yeux bandés, fait le
  dragon. Tous les autres (plus il y a de fous,
  plus on rit) tentent de délivrer la princesse
  sans se faire attraper par le méchant dragon;
  5 à 15 joueurs.

- Le nuage: On gonfle un ballon qu'on noue. Les
  joueurs se placent en cercle et soufflent sur le
  ballon pour éviter qu'il tombe par terre, en
  gardant les mains dans le dos! Je vous promets
  de joyeuses contorsions. Pour les plus petits,
  vous pourriez choisir de les munir d'un instru-
  ment, comme une raquette de tennis, par
  exemple; 5 à 12 joueurs.

- Le fil d'Ariane: On tend un fil de pelotes de
  laine de différentes couleurs à travers la pièce
  en ficelant les chaises, la table et toutes sortes
  d'objets. On demande alors aux joueurs de
  repelotonner chacun un fil de laine. Au bout de
  la ficelle, un cadeau peut-être; 2 à 6 joueurs.

- Les courses de brouettes humaines: En équipes
  de deux: un des joueurs marche sur les mains
  pendant que l'autre lui tient les chevilles,
  debout derrière lui. Rires et plaisir assurés,
  surtout si ce sont des adultes qui se donnent
  ainsi en spectacle; 4 joueurs et plus.

- Le parcours gymnique: Réalisez un parcours
  d'obstacles à la manière des camps d'entraîne-
  ment de l'armée. Rampez, sautez, grimpez,
  transportez, roulez, marchez, courez, etc.

Inventez-le avec ce que vous avez sous la main: des chaises de cuisine, des boîtes de carton géantes, une couverture pour faire un tunnel, etc.; 3 à 10 joueurs.

- Jeu de Tipoter: Les joueurs choisissent, en l'absence de l'un d'eux, un verbe quelconque. Le joueur absent revient et doit deviner ce verbe en posant à chacun des questions dans lesquelles il remplace le verbe à découvrir par tipoter. On répond bien sûr par oui ou non seulement; 5 à 10 joueurs.

- Basket de chambre: On gonfle un ballon et on tente de l'envoyer, à l'aide d'une fourchette, dans une corbeille qu'on aura placée au milieu de la pièce. Bien sûr, il ne faut pas crever le ballon. Mais quand il crève, c'est très drôle; 5 à 10 joueurs.

- Une chasse au trésor: Enterrez vraiment un objet de valeur (chocolat ou bouteille de vin, selon l'assistance) et dessinez une carte au trésor très stylisée. Ou encore faites deux équipes et demandez à chacune de dessiner une carte au trésor pour l'autre équipe; 4 à 5 joueurs par équipe.

- Les ambassadeurs: On forme deux équipes pendant que le meneur de jeu dresse une liste de 10 mots à deviner. Chaque camp lui envoie, au signal donné, un ambassadeur qui vient prendre connaissance du premier mot de la liste. De retour dans son camp, l'ambassadeur doit mimer le mot sans parler. Les autres doivent deviner mais en parlant à voix basse, puisque leurs paroles pourraient aider l'autre équipe à deviner. Celui qui devine le premier

dans l'équipe devient ambassadeur à son tour. Le jeu se termine quand une des équipes a deviné tous les mots de la liste; 9 à 21 joueurs.

- Jeux d'adresse: Installez cinq grosses bouteilles bien alignées à 30 centimètres l'une de l'autre et tracez une ligne à 2 mètres des bouteilles. Donnez cinq anneaux à draperie aux joueurs qui devront les envoyer sur le goulot des bouteilles.

CAMPS FAMILIAUX

DE VRAIES VACANCES

Un jour, pour passer les vacances avec ma petite famille, j'ai candidement loué un chalet au bord d'un lac. Un lac magnifique, un chalet décent, de beaux paysages... des vacances pourries! Alors que je travaillais peinarde à temps plein le reste de l'année, je me suis retrouvée durant cette semaine-là à faire trois repas par jour, à «animer» mes enfants toute la journée, à ramasser les jouets et autres bébelles 200 fois par jour, parce que le chalet n'avait qu'une grande pièce au milieu de laquelle se trouvaient à la fois le salon, la salle à manger et la salle de jeux des enfants. Devinez ce qui a eu le dessus? Les jouets! Pas trop reposant! Finalement, j'ai attendu le retour des vacances pour aller me reposer au travail. Et là je me suis dit qu'il devait exister une solution, une idée, je ne sais pas, moi... quelque chose qui soit des vacances pour tout le monde et pas seulement pour les rejetons. Et j'ai trouvé: les camps familiaux.

Les camps familiaux sont des organismes sans but lucratif dont le but est de rendre les vacances accessibles aux familles qui n'ont pas 2000 $ à dépenser pour ce faire. C'est d'ailleurs le paradis des familles monoparentales. La plupart des sites et des camps appartiennent à des associations familiales, comme le groupe d'entraide Nidami de Rosemont, par exemple, ou le Carrefour Hochelaga-Maisonneuve.

- Le répertoire des camps familiaux est gratuit et se trouve dans tous les CLSC de la province. Une édition annuelle est disponible dès le mois de septembre. Les détails pour chaque camp y sont inscrits clairement.

- Les forfaits comprennent généralement la bouffe, l'hébergement (en chalet, tente-roulotte, chalet familial, auberge, dortoir, etc.), l'équipement et l'animation. Ce qui veut dire que, ô bonheur! vous n'êtes responsable ni des repas ni de l'organisation des activités de la famille durant tout ce temps...

- Les tarifs sont fixés par jour, par week-end ou par semaine. Dans les camps les plus chers, on doit débourser 200 $ par semaine pour un adulte. Dans les moins chers, vous pouvez vous en sortir pour la moitié de ce tarif. La grande majorité des camps sont ouverts à l'idée de couper leur prix selon le revenu familial. Tâtez le terrain par téléphone auprès des responsables du camp.

- Plusieurs camps offrent de l'animation ou une halte-garderie pour les moins de deux ans; vérifiez dans le répertoire. Ça peut transformer vos vacances!

- Le genre d'activités qu'on peut y faire: Mon petit Joël de cinq ans a peint les fenêtres de la salle à manger avec de la gouache; j'ai traversé le lac à la nage; on a fait de la randonnée en forêt avec Raphaëlle (six mois) sur le ventre; on a mangé du blé d'Inde autour d'un feu de camp et fait mille autres choses. Au programme: baignade (la plupart des camps sont situés au bord d'un lac), randonnée en forêt ou en montagne, jeux extérieurs (volley-ball, badminton, tennis, etc.), canot, hébertisme, bricolage, pédalo, aviron, vélo, voile et planche à voile, escalade, feux de camp, etc. On peut aussi «chienner» avec délice...

- La participation aux activités n'est pas obligatoire: vous pouvez donc vous écraser au soleil pendant que vos enfants s'épuisent! Chaque groupe d'âge a généralement son animateur: une jeune personne débordante d'enthousiasme et d'énergie qui a toujours l'air heureuse d'être avec vous sous un soleil de plomb! Une bonne main d'applaudissement pour eux. Joël, lui, est tombé amoureux de son animatrice l'été dernier... elle s'appelait Cosmos et il fallait le voir s'approcher d'elle la bouche ouverte et les yeux brillants.

- On trouve des camps en Abitibi, en Estrie, dans Lanaudière, les Laurentides, la Mauricie et Portneuf. Il y en a 20 en tout.

ÉCHANGER SA MAISON: DES VACANCES À PEU DE FRAIS

Avez-vous rêvé d'un mois de vacances sur les plages de l'île Victoria près de Vancouver, les trois enfants batifolant dans le sable fin et la famille installée dans une grande maison de campagne, loin des touristes et des circuits traditionnels? Voici le moyen de réaliser ce rêve: les agences d'échange de maisons. Ces organismes vous permettent d'échanger votre maison, votre chalet et même votre voiture avec une autre famille et d'économiser ainsi les frais d'hébergement au cours de vos prochaines vacances! Mieux encore, échanger sa maison, c'est envisager le voyage d'un tout autre point de vue.

- Imaginons que vous cherchiez cette maison de l'île Victoria pour vos prochaines vacances, en juin. Vous vous inscrivez d'abord comme membre d'une agence qui a en banque de nombreuses maisons à échanger (certaines agences ont des dizaines de milliers de membres) et demandez à recevoir cette liste. Ce sont les membres qui entrent eux-mêmes en contact les uns avec les autres. L'agence n'est finalement qu'un intermédiaire entre les propriétaires qui souhaitent participer à l'échange. Elle n'est responsable en aucune façon du déroulement de votre séjour dans une maison qu'on vous aura prêtée ou de l'état de votre maison quand vous la récupérerez après l'échange.

- Il va sans dire que les échanges de maisons reposent sur la confiance et le respect

mutuels. Voilà pourquoi certaines règles de conduite sont suggérées aux membres. Chacun devrait préparer le terrain pour ses «invités»: une carte de la région et une liste des choses à voir et à faire devraient être mises à leur disposition ainsi que quelques numéros de téléphone de personnes que vous connaissez et qui pourraient leur venir en aide et, bien sûr, quelques informations utiles comme le jour du ramassage des ordures, le numéro de téléphone de votre meilleure gardienne et du centre antipoison, par exemple. L'échange de maison demande un peu de travail de votre part, mais il ne s'agit pas d'un service hôtelier à peu de frais. Il s'agit d'une famille qui fait assez confiance à une autre famille pour lui ouvrir ses portes, ne l'oubliez pas.

- Une fois votre cotisation payée, on vous demandera de remplir un formulaire détaillé concernant votre maison: À quelle date la maison sera-t-elle disponible? Dans quelle région êtes-vous? Combien de chambres? Avez-vous un chien? un jardin? une piscine? un golf à proximité? un lave-vaisselle? etc. Plus vous donnez de détails, mieux on pourra apprécier votre maison. Joignez toutes les informations qui risquent d'intéresser un visiteur et retournez le tout à l'agence.

- Selon le cas, vous recevrez un catalogue annuel (parfois de presque 200 pages) ou un bulletin trimestriel dans lequel vous pourrez faire le choix d'une maison. Vient alors le moment de communiquer avec vos pairs potentiels. Il n'est pas du tout essentiel d'échanger sa maison avec les propriétaires de la maison que vous

souhaitez emprunter puisque vous voulez peut-être aller en Espagne alors qu'eux souhaitent aller aux États-Unis.

- Le contact avec vos pairs est primordial. Énoncez clairement vos attentes mutuelles et posez toutes les questions qui vous traversent l'esprit. (Combien d'enfants viendront habiter votre maison? de quel âge? Vos hôtes ont-ils un chien dont vous devrez prendre soin? Y a-t-il une toilette dans la maison? etc.) Surtout, ne tenez rien pour acquis. Ayez des contacts répétés avec eux afin de les connaître un peu et de voir de quel genre de personnes il s'agit.

- Après avoir obtenu réponse à toutes vos questions, il est temps de signer une entente écrite. Les agences ne recommandent pas de retenir les services d'un avocat ou d'un notaire; la bonne volonté et le gros bon sens sont de meilleures garanties, paraît-il. En 40 années d'échange, Intervac Canada n'a connu que deux histoires malheureuses, alors soyez confiants. Échanger sa maison permet de vivre une belle aventure n'importe où dans le monde, à peu de frais, dans un climat de partage et en dehors des circuits touristiques traditionnels. Gardez l'esprit ouvert et bon voyage!

Quelques adresses:

- Intervac Canada: (403) 284-3747, 606 Alexander Cr N.W. Calgary, Alberta T2M 4T3. Échange dans 32 pays du monde; catalogue avec photos. Laissez vos coordonnées sur le répondeur et on vous enverra de la documentation.

- WorldHome Holiday Exchange: (604) 987-3262; 1707 Platt Crescent, North Vancouver, Colombie-Britannique, V7J 1X9. Échange dans plus de 50 pays du monde. Abonnez-vous pour recevoir cinq catalogues par an. Laissez vos coordonnées sur le répondeur et on vous enverra de la documentation.

CO-VOITURAGE

La voiture est certainement le moyen de transport individuel le plus cher et le plus polluant. Voici des façons conviviales de partager le fardeau.

- Allô Stop Montréal: 4317, rue Saint-Denis, Montréal, 985-3032. Ouvert sept jours. Il s'agit de la mise en commun des ressources: quelqu'un va quelque part et propose d'emmener quelqu'un qui va au même endroit. Vous devez obligatoirement devenir membre (6 $ comme passager et 7 $ pour les conducteurs). Les possibilités d'arrangement couvrent tout le Québec et une bonne partie de l'Ontario. On m'a dit que pas une ville au Québec n'y manquait. Les passagers paient un tarif selon une grille déjà fixée; une partie va au chauffeur et l'autre à l'organisme. Les tarifs représentent environ 50 à 60 p. 100 du prix de l'autobus.

- Westmount Driveway: 345, rue Victoria, Westmount, 489-3861. Voilà une autre agence de transfert de voiture n'importe où au Canada ou aux États-Unis. Les chauffeurs qui souhaitent réaliser le transport doivent présenter des références. À peu près les mêmes tarifs que l'agence précédente.

APOLOGIE DES MAISONS DE LA CULTURE

Les Maisons de la culture de Montréal sont de vraies perles au cœur du monde urbain, un lieu de rassemblement à la portée de tout le monde. Elles affichent des programmations qui font vivre un quartier et ses gens. Les familles y sont les bienvenues et les horaires des activités sont tellement souples que chacun y trouve un moment pour lui. Et surtout, les gens qui les animent sont de vrais passionnés de la culture, au sens le plus large du terme, c'est-à-dire tout ce qui parle au cœur d'un peuple vivant!

Il y a 14 Maisons de la culture à Montréal, qui présentent des événements dans plus de 37 lieux différents. La très grande majorité des activités sont gratuites; il faut simplement se procurer un laissez-passer sans frais dans les Maisons de la culture ou dans les bureaux d'Accès Montréal quelques jours avant le spectacle ou l'événement. La Ville de Montréal publie un calendrier trimestriel des activités principales que vous pouvez vous procurer dans les Maisons, dans les bureaux d'Accès Montréal et dans les bibliothèques. De plus, chaque maison a un programme local encore plus riche. Même les résidents des autres villes peuvent participer aux activités et assister aux spectacles. Allez-y voir!

POUR VOUS DONNER
LE GOÛT D'ALLER VOIR

- Des conférences (avec ou sans diaporama) à propos de...
  - l'art (Molière et la musique, par exemple);
  - les sciences naturelles (les fossiles des basses terres du Saint-Laurent);
  - la musique (Joseph Haydn, le musicien valet);
  - l'histoire (la petite et grande histoire de Notre-Dame-de-Grâce).
- Des expositions...
  - photographiques (sur le Nicaragua, l'immigration italienne);
  - thématiques (sur le bonheur, les minous, les marionnettes, la vie, etc.);
  - d'illustrations, de dessins, de peintures, d'aquarelles, de céramique;
  - expositions itinérantes du Musée de la civilisation de Québec.
- De la musique toutes les semaines:
  - folklorique, chant classique, populaire, rock, jazz, musique sacrée, opéra;
  - percussions, orchestre de chambre, orchestre Métropolitain;
  - musique africaine et animations sur la musique (par exemple: Cléopâtre avait-elle une harpe?).
- Des rencontres avec...
  - des auteurs de théâtre, des romanciers, des poètes;
  - des cinéastes, des chorégraphes;
  - des personnalités du monde politique, spirituel ou artistique.

- Des spectacles...
  - d'humour; (Claudine Mercier, Clémence Desrochers);
  - de variétés (Louise Portal, Marie-Denise Pelletier, Joe Bocan, Michel Faubert);
  - de théâtre (*Célimène et le cardinal*);
  - de danse (ballet classique, moderne, jazz, africaine, etc.).
- Du cinéma.
- Pour les enfants:
  - spectacles musicaux (Babar, Pierre et le loup);
  - cinéma chaque semaine (*Aladin, La belle et la bête*, etc.);
  - théâtre (de personnages ou de marionnettes);
  - clowns;
  - contes (beaucoup de merveilleux conteurs!);
  - ateliers de bricolage et de décoration.
- Des avant-premières de télé.
- Des colloques (sur la pauvreté, le temps, etc.).
- Des séries spéciales:
  - conférences, lectures publiques, musique de nuit, répétitions publiques;
  - spectacles de débutants.

LA PHONOTHÈQUE

La phonothèque est une bibliothèque pour les oreilles. Ses services sont entièrement gratuits pour les Montréalais. Vous utilisez la même carte que pour votre bibliothèque, puisque c'est une bibliothèque de documents audio, créée en

1985. On peut y emprunter des disques pour trois semaines, exactement comme pour les livres.

- On y trouve plus de 17 000 disques de vinyle (pour les nostalgiques...), 11 000 disques compacts et 15 000 cassettes.

- Les collections: classique, populaire de langue française, populaire de langue anglaise, jazz et blues, alternative, traditionnelle, et textes et paroles (on y retrouve des monologues, des spectacles, des recensements ethnologiques).

- La section pour enfants se trouve à la bibliothèque centrale. On y retrouve des contes et de la musique.

- Horaire: mardi, mercredi et jeudi de 14 h 30 à 19 h 30; samedi de 11 h 30 à 16 h 30. Ils ont un horaire d'été de la mi-juin à la mi-septembre.

- Renseignements: 872-2860, 880, rue Roy Est (près de la rue Saint-Hubert et du métro Sherbrooke).

LECTURE À PEU DE FRAIS

Ah! quel bonheur que de se glisser dans ses vieilles chaussettes de laine, calé dans un bon fauteuil et d'ouvrir doucement un bon livre! Quand on a des enfants et un emploi à temps plein, lire devient un luxe délectable, un péché mignon. Quand il m'arrive de m'asseoir tranquillement pour lire (après le souper, le bain des enfants, le lavage de la vaisselle et le dodo des petits), j'ai souvent l'impression de faire quelque chose d'illégal. C'est comme du temps volé à tout ce que j'ai à faire. La lecture n'en est que meilleure!

Si vous aimez lire, il n'est pas nécessaire de dépenser une fortune! Voici toutes sortes de façons de vivre son vice sans trop de douleur pour la bourse.

• **Les bibliothèques**

Évidemment! Certaines vous demanderont un petit montant pour votre abonnement annuel, mais ce sera de l'argent très bien placé. Dans une bibliothèque, vous trouverez toutes sortes de livres, des journaux du monde entier, des revues spécialisées et même ultraspécialisées.

• **Les clubs de lecture**

Rassemblez-vous à trois ou quatre ou cinq et organisez des soupers de lecture: chacun apporte un livre qu'il a lu et en parle aux autres. Attention de ne pas révéler le punch! Il faut leur en dire assez pour leur donner le goût de le lire, c'est tout. On peut même tenir un cahier des livres lus, avec les commentaires de chacun, juste pour le plaisir.

Ces rencontres pourraient être thématiques: biographies de stars, œuvre de Pagnol, histoires de notre enfance, romans érotiques, etc. Mensuelles, hebdomadaires, ces rencontres pourraient devenir un lieu de grande stimulation intellectuelle! Incorporez vos ados à ces soupers si ça vous tente: ils y attraperont l'envie de lire et seront très flattés, croyez-moi, de participer à un rituel aussi intelligent.

• **La co-lecture**

C'est un terme que j'ai inventé et qui a le même sens que co-voiturage, mais pour la lecture. Échangez des magazines en vous abonnant collectivement. Plusieurs grandes entreprises le font déjà. Abonnez-vous à deux ou à quatre (c'est vraiment le maximum pour un magazine mensuel, si l'on veut que chacun ait au moins une semaine pour le lire) et déterminez à l'avance les tours de lecture de chacun avec la date de circulation. Quand tout le monde a lu les magazines, mettez-les de côté et allez les porter à la Maison du père, à la prison de Bordeaux ou de Tanguay, ou dans n'importe quel autre lieu où les personnes n'ont pas les moyens d'en acheter mais ont besoin de lire.

REVUES ET MAGAZINES ALTERNATIFS: UN AUTRE POINT DE VUE

Voici quelques magazines qui sortent des sentiers battus. Je vous les présente parce que ça fait du bien de lire autre chose que «la ligne du parti» de temps en temps. Ces revues sont québécoises, canadiennes ou américaines. Toutes m'ont intéressée. On y traite de sujets dont on ne parle pas ailleurs ou bien on en parle différemment. Ouvrez-vous l'esprit et le cœur et bonne lecture!

INTERCULTURE

Fondée en 1968 et publiée deux fois l'an, c'est la revue de l'Institut interculturel de Montréal (anciennement Centre Interculturel Monchanin), qui est un institut de recherche transdisciplinaire au vrai sens du terme. On n'y fait pas, par exemple, la promotion du port du voile pour les femmes musulmanes en arguant de la liberté de religion! On cherche plutôt les sources dans le Coran, les racines culturelles; on s'interroge sur son impact dans une société occidentale, etc. C'est ce qu'on appelle une revue savante. La lecture est peut-être parfois aride, mais toujours extrêmement intéressante. Je vous suggère particulièrement quatre numéros sur la nation mohawk (cahiers 113, 114, 118 et 121), que tous ceux qui prétendent comprendre quelque chose au problème amérindien devraient lire.

- Chaque cahier coûte 5 $; abonnement 19 $ par année. On s'abonne en téléphonant au 288-7229 ou par télécopieur au 844-6800.

- Les rédacteurs de cette revue sont de vraies «boles» (Raimon Panikkar, Gustavo Esteva, Wolfgang Sachs, etc.) et viennent de partout dans le monde: Mexique, Iran, États-Unis, Brésil, Chine, etc.

- La publication étant réalisée par numéros thématiques, on peut se procurer des copies des numéros déjà parus. Quelques exemples: la religion, la coopération internationale, les droits de l'homme, l'éducation, la médecine, etc.

• Je vous signale que cette revue est envoyée dans 30 pays du monde et elle y nourrit beaucoup de réflexions.

BBW (BIG BEAUTIFUL WOMAN)

P.O. Box 16958, North Hollywood, CA 91615, USA. Abonnement: 29,95 $US. 72 pages. En kiosque: 3,50 $.

Ce magazine très particulier existe depuis 15 ans et s'adresse aux belles grosses femmes. Attention! ici, pas de diètes suggérées. Voilà un des rares magazines qui n'essaiera pas de vous faire maigrir, mais au contraire parle de votre vie actuelle.

On y trouve des articles de fond sur des sujets féminins: le couple, la sexualité, les soins du corps, etc., toujours rédigés en tenant compte de la réalité des femmes obèses; on ne parle pas de la sexualité de manière conventionnelle, croyez-moi!

Toutes les femmes qui y sont photographiées sont grasses **et belles**!

Ce n'est pas un magazine politique, ni de controverse. Mais je dirais qu'on y tient des propos fort politiques. On y parle autant de modèles de femmes grasses qui occupent des postes importants que des maillots de bain qui iront aussi bien à votre corps qu'à votre vie. On y lit des histoires de femmes grosses qui vivent leur vie avec passion, humour et enthousiasme! Bon pour le moral.

RADIANCE, THE MAGAZINE FOR LARGE WOMEN

P.O. Box 31703, Oakland, Californie, 94604, USA.

Dans le même genre que *BBW,* mais nettement plus politique. Ici, pas vraiment de chronique de mode et de beauté, mais d'excellents articles sur l'estime personnelle, le milieu du travail, le traitement des femmes obèses dans les médias, etc. Aussi section santé, culture, bien-être et politique. Quatre numéros par an, abonnement: 10 $US. On peut se procurer d'anciens numéros; la plupart sont intéressants.

IMAGES

Produit par Images Interculturelles, 275, rue St-Jacques ouest, bureau 20, Montréal, H2Y 1M9, 842-7127.

Abonnement: 25 $ pour quatre numéros par année; on la trouvera aussi en kiosque, 24 pages sur papier journal. La page couverture de cette revue format européen est toujours une œuvre d'art. Son contenu propose des dossiers d'actualité comme l'adoption internationale et la conjugalité mixte, entre autres. Le traitement y est très différent de ce qu'on trouve dans les journaux ordinaires et on y parle de sujets qu'on n'aborde pas dans les quotidiens.

UTNE READER

Publié par Lens Publishing Co. Inc, (612) 338-5040. Pour abonnements: P.O. Box 1974, Marion, OH 43306-2074, USA; 30 $US. En kiosque à Montréal: 5,95 $; 144 pages. 6 numéros par année.

Cette pure merveille existe depuis 10 ans et porte tout simplement le nom de son éditeur. Cet homme est un précurseur, il n'y a aucun doute: dans son magazine, on a parlé de la mort et des soins palliatifs longtemps avant tout le monde; de l'éthique avant que ce mot ne fasse carrière dans les universités; de la condition masculine avant Guy Corneau. Vous y trouverez des articles intéressants et différents dont je vous lance quelques titres: «Junk mail, for and against»; «The joy of mediocrity»; «What friend is for?»; «The new sexual revolution». Des articles aussi sur l'utilisation que l'on fait de notre temps, sur l'école publique, sur les hommes et les femmes, le divorce, les mouvements anonymes, etc. On peut se procurer le répertoire des sujets traités dans *Utne.*

Chaque année, cette revue organise un concours de la presse alternative et remet des prix: un numéro à ne pas manquer. Il contient le plus grand répertoire de revues alternatives d'Amérique! La revue publie d'ailleurs beaucoup d'articles d'autres journaux et de magazines en donnant la source, l'adresse et le prix de l'abonnement. Une chronique de recensement des bons articles à lire et des nouveaux magazines qui voient le jour aux États-Unis.

Même les publicités sont intéressantes. Ils n'acceptent de vendre leur espace publicitaire qu'à des compagnies qui offrent des produits de qualité et qui sont en accord avec les valeurs de l'équipe éditoriale: écologisme, convivialité et ouverture multiraciale. Un des rares magazines dans le monde dont la rédaction est libre.

LES CATALOGUES

Acheter par catalogue, c'est pouvoir magasiner dans votre vieux sofa si confortable, en jaquette et en bas de laine. C'est aussi s'assurer d'avoir du courrier, comme le gars de la chanson de Sylvain Lelièvre qui ne peut pas commencer sa journée tant que le facteur n'est pas passé...

LE CATALOGUE DES CATALOGUES

Alpel Publishing, B.P. 203, Chambly (Québec) J3L 4B3, tél.: 658-6205, télécopieur: 658-3514.

Ce répertoire est remis à jour tous les deux ans. L'éditeur m'a dit qu'il recevait deux ou trois commandes par télécopieur en provenance du Japon tous les jours depuis quelques mois. Les Japonais sont-ils en train d'acheter le Canada?

On y trouve 930 compagnies canadiennes qui vendent par catalogue. Tout est classé par champ d'activité: 110 catégories (matériel pour animaux, matériel d'art et de graphisme, matériel pour bébé, jeux, produits de beauté, de jardinage, outils, matériel religieux, pour les personnes handicapées, étampes, drapeaux, matériel médi-

cal, informatique, éducatif, livres, vêtements, matériel de Noël, de bricolage, d'artisanat, etc.).

Chaque compagnie est inscrite avec son logo, ses numéros de téléphone et de télécopieur, son adresse et un très court résumé de ce qu'elle offre. Le livre est en anglais, mais est très facile à comprendre si vous possédez quelques notions de base. Beaucoup des catalogues annoncés sont gratuits ou peu coûteux (1 $ - 3 $) et souvent déductibles de la facture de votre premier achat. On ne peut acheter ce catalogue des catalogues que par correspondance: 13,95 $ (toutes taxes et frais de transport inclus).

THE GLOBAL SHOPPER

Richard McBrien, 338, Euston Road, London, NW1 3BBH, England.

Voici un gigantesque catalogue de catalogues réalisé en Angleterre, mais couvrant le territoire de la planète. De longues heures de feuilletage en perspective.

WHOLE EARTH CATALOGUE

Ce catalogue recense tous les catalogues alternatifs du monde; c'est du moins ce qu'il prétend. En tout cas, il y en a beaucoup. Si vous cherchez un catalogue de semences bio, de poupées en coton, de mandalas et d'autres du même genre, ce catalogue vous sera bien utile! Vous le trouverez à la librairie Biosphère (985-2467) pour un peu plus de 50 $.

5

LES VÊTEMENTS

Les vêtements occupent une place importante dans nos vies! «De quoi j'ai l'air?» On feuillette avidement les magazines de mode, mais personne n'est obligé d'acheter dans les boutiques au prix régulier! Qui a dit qu'il n'y a que le neuf à avoir de la gueule? Je me souviens d'avoir vu Jean-Claude Poitras faire les friperies de la rue Mont-Royal pour en ressortir avec de pures merveilles. Abandonnez cet air de mépris quand on vous parle des manufactures et des friperies: elles n'ont plus du tout l'air empoussiéré et tout le monde peut y faire de vraies trouvailles.

LES MAGASINS DE MANUFACTURES

TOUT L'ART DU MAGASINAGE

Si vous pensez que vous êtes une «magasineuse» bien entraînée, allez vous frotter aux vraies qui «font» Chabanel comme d'autres font le marathon de Montréal... Vous y trouverez des femmes (vraiment, je ne me souviens pas d'avoir vu un homme faire autre chose que tenir une sacoche pendant la «chasse» de sa femme) qui flairent la bonne affaire en moins de 10 secondes, reconnaissent la qualité d'une couture au premier regard ou, au contraire, rejettent la guenille sans même un soupir.

La rue Chabanel se trouve à la hauteur de l'autoroute Métropolitaine et le quartier des manufactures commence au boulevard Saint-Laurent pour se prolonger vers l'ouest, des numéros 99 à 555. N'espérez pas les faire toutes dans la même journée! Mais en y allant souvent, vous finirez par en adopter une dizaine qui vous plairont davantage et vous perdrez moins de temps.

Les secrets pour trouver ce qu'on cherche:

- Les horaires de ces magasins varient, mais sont souvent inscrits à la porte de chaque édifice. La plupart, cependant, sont ouverts le samedi avant-midi.

- Arrivez tôt: samedi matin, 8 h. Les meilleurs morceaux partent vite.

- Les tailles des vêtements sont rarement inscrites: exercez votre œil. Une technique que j'ai souvent vu appliquer consiste à prendre tout ce qui a l'air de pouvoir vous faire et à trier calmement dans un coin un peu plus tard.

- Emportez de l'argent comptant: dans ce genre d'endroit, on ne sait pas ce que sont les chèques et encore moins les cartes de crédit.

- Négociez, surtout si vous achetez plusieurs

morceaux au même endroit. De toute façon, les prix sont très rarement inscrits.

- Pas d'échange, pas de remboursement.

- Faites le tour du magasin en trois minutes afin de repérer ce qui vous intéresse. Ensuite, foncez vers les choses à voir.

- Le mieux serait d'y aller les premières fois avec quelqu'un d'expérimenté. Ou alors, si vous avez vraiment le goût de l'aventure, partez avec une copine qui a le sens de l'humour.

On ne trouve pas que des vêtements rue Chabanel. Rubans pour les cheveux, boucles d'oreilles, montres, tissus au mètre; vêtements de nuit; literie, nappes, napperons, literie d'enfant; vêtements de cuir; chemises, chandails, pantalons pour hommes; manteaux, souliers, sacs à main, porte-document; vêtements d'enfants; jeans, sous-vêtements; robes de mariée; bas-culottes; etc.[1]

---

1. Vous trouverez le détail de ce qu'on peut trouver à chacune des adresses de la rue Chabanel dans un petit livre extraordinaire de Sandra Phillips, *Le consommateur averti de Montréal,* remis à jour annuellement et publié à compte d'auteur. Il coûe 13 $ et est en vente dans toutes les librairies. En plus des adresses pour vos vêtements, vous y trouverez une foule d'autres adresses (surtout dans l'ouest de l'île de Montréal) pour acheter, louer ou faire réparer à peu près n'importe quoi.

VÊTEMENTS D'ADULTES

MATERNITÉ

Neufs grands points et taille forte

- Maternité Monic Plus, Place Longueuil à Longueuil; 677-6621.
- Addition - Elle, Mail Cavendish à Montréal; 369-0308.

Usagés

- Village des Valeurs: 4906, rue Jean-Talon Est, Montréal, 739-1962; 2033, boul. Pie-IX, Montréal, 528-8604; etc.

Neufs pas chers

- J. Hauerstock: 6900, boul. Décarie, Montréal, 738-4186 (allez-y pour les sous-vêtements de maternité seulement).
- Precious Times: 350, rue Louvain (angle Esplanade), bur. 202, Montréal.
- Dudate: 5480, rue Saint-Dominique (angle Saint-Viateur), bur. 101, Montréal.
- Welcome Event: 3250, rue Crémazie (angle Saint-Michel), bur. 100, Montréal.
- Lucille Boivin: 1343, rue Beaubien Est, Montréal.

VÊTEMENTS D'ADULTES USAGÉS

Les bons magasins de vêtements usagés vous offrent de vraies aubaines, n'hésitez plus! Allez-y

souvent: vous y trouverez des choses différentes d'une visite à l'autre.

- Village des Valeurs: 4906, rue Jean-Talon Est, Montréal, 739-1962; 2033, boul. Pie-IX, Montréal, 528-8604 et beaucoup d'autres adresses.

- À la deux: 316, av. du Mont-Royal Est, Montréal, 843-9893.

- Drags: 367, rue Saint-Paul Est, Montréal, 866-0631.

- Boutique Trading Post: 26, Valois Bay, Pointe-Claire, 695-1872.

- Hatfield et McCoy: 156, av. du Mont-Royal Est, Montréal, 982-0088.

- Latour et Fleury, 4424, rue Saint-Denis, Montréal, 287-1660.

- Mille et un trucs: 4063, rue Saint-Denis, Montréal, 982-6652.

- Requin Chagrin: 4430, rue Saint-Denis, 286-4321.

- Montréal Frippe: 371, av. du Mont-Royal Est, Montréal, 842-7801.

- Friperie Saint-Laurent: 3976, boul. Saint-Laurent, Montréal, 842-3893.

- Scandale: 3639 boul. St-Laurent, Montréal, 842-4707. On trouve des vêtements neufs de designers en bas et une friperie en haut.

- Pour une chanson (le Y des femmes): 1355, boul. René-Lévesque Ouest, Montréal, 866-9941, poste 515.

- Scarlett O'Hara: 254, av. du Mont-Royal Est, 844-9435. On y fait des créations avec du vieux. Magnifique.

VÊTEMENTS TRÈS CHIC OU SIGNÉS

À LOUER

- Boutique Elfe: 5272 av. du Parc, Montréal, 274-1401.
- Pour une soirée: 4060, rue Sainte-Catherine Ouest, bur. 850, Montréal, 939-1706.

USAGÉ

Les boutiques plus chic reprendront vos «folies» en consignation pour les revendre et partageront les bénéfices moitié-moitié avec vous.

- Acte II: 4967, chemin Queen Mary, Montréal, 739-4162 (pour dames seulement), ouvert de 11 h à 17 h.
- Incognito: 1118, av. Laurier Ouest, Outremont, 948-4844.
- Oz: 342B, rue Victoria, Montréal, 485-9610.
- Marie-Claude: 2261, rue Papineau, Montréal, 529-5859.
- Drags: 367, rue St-Paul est, Montréal, 866-0631.
- Mille et un trucs: 4063, rue Saint-Denis, Montréal, 982-6652.

VÊTEMENTS NEUFS À RABAIS

FEMMES

- La cage aux soldes: 5120, boul. Saint-Laurent, Montréal, 270-2037.
- Boutique Noëlla (pour vos dessous): 8750, rue Lajeunesse, Montréal, 388-6922.

HOMMES

- Boutique Jacques (pour de très beaux vêtements): 5970, chemin de la Côte-des-Neiges, Montréal, 737-1402.

- Meritas: 6170, boul. Métropolitain (angle Langelier), Montréal, 253-2171.

HOMMES ET FEMMES

- La cage aux soldes: 5120, boul. Saint-Laurent, Montréal, 270-2037.

- Mousseline: 1180, rue Sainte-Catherine Ouest, Montréal, 878-0661.

- EnXchange: 1455, rue Peel, bur. 212, Montréal, 282-0912.

- Cohoes: 409, rue Notre-Dame Ouest (coin McGill), Montréal, 849-1341.

DONNEZ VOS VÊTEMENTS USAGÉS

- L'Atelier Les recycleurs: 5550 Fullum, bureau 200, Montréal, 272-5000. Ils iront même chercher vos textiles chez vous.

- L'Entraide Bazar permanent: 3710, rue Jean-Talon Est, Montréal, 729-7160.

- Entraide Ignace-Bourget: 6344, rue Pascal, Montréal-Nord, 322-0371.

- Entraide Pointe Saint-Charles: 2489, rue Centre, Montréal, 937-3616.

- Accueil Bonneau (vêtements pour hommes seulement): 427, rue de la Commune, Montréal, 845-3906.

- Armée du Salut: 1620, rue Notre-Dame Ouest, Montréal, 935-7425.

- Assistance Maternelle (pour donner vos vêtements de bébé): 148, rue de l'Épée, Outremont, 279-1064.
- Société Saint-Vincent-de-Paul: 1930, rue de Champlain, Montréal, 526-5937.
- La corde à Linge: 8925, rue Hochelaga, Montréal, 354-9780.

RECYCLAGE DE FIBRES

Vous pouvez aller porter vos vêtements qui ne sont plus utilisables pour en faire du recyclage de fibres. Deux adresses qui sont tous deux des organismes communautaires qui permettent à des jeunes sans emploi de réintégrer le marché du travail.

- L'Atelier Les recycleurs: 5550, rue Fullum, bureau 200, Montréal, 272-5000. Ils iront même chercher vos textiles chez vous.
- L'entraide Bazar permanent: 3710, rue Jean-Talon Est, Montréal, 729-7160.

SE CHAUSSER SANS CHARRIER

APOLOGIE DES CORDONNIERS

Réparer les souliers usés devrait être la première option à considérer car, en plus d'être raisonnable, c'est celle qui coûte le moins cher. À moins que votre lien affectif avec votre chaussure soit époustouflant, envisagez de la faire réparer jusqu'à concurrence de la moitié du prix pour chaque réparation. Par exemple, si votre chaus-

sure a coûté 50 $ l'an dernier et qu'elle vous rend heureuse, il serait tout à fait raisonnable de payer 25 $ pour la faire réparer cette année… Mais peut-être que l'an prochain vous penserez qu'elle ne durera pas une autre année. Il faudra donc calculer le prix de la réparation au prorata. Si vous pensez qu'elle durera encore tout l'automne avec un égal bonheur, envisagez d'y consacrer 15 $.

Les cordonniers peuvent vraiment faire des merveilles! Si vous en trouvez un bon, soyez prêt à toutes les bassesses pour le garder. Car il peut recoudre, coller, changer ou installer des semelles, des talons, des boucles; il peut adapter des chaussures orthopédiques, faire des bottes et des chaussures sur mesure.

Vous pourriez rajeunir un air de neuf à une paire de chaussures en la faisant teindre (10 $ à 20 $), si elle est en satin, en cuir ou en suède. Demandez-lui de vous faire des motifs; deux ou trois couleurs, pourquoi pas? Apportez vos échantillons et il verra ce qu'il peut faire. Un bon cordonnier peut coudre des pièces décoratives en ton sur ton ou de couleur. Il peut installer des courroies de cuir si vous avez un design à lui suggérer.

Quelques adresses:

- Cordonnerie Benny: 6920, rue Sherbrooke Ouest, Montréal. Excellent pour des besoins particuliers: semelles spéciales, chaussures de sport, orthopédie.

• Cuir et liège fédéral: 368, rue Fairmount Ouest, Montréal, 276-4719. Beaucoup d'accessoires et de pièces pour les chaussures, les bottes, les valises, les sacs à main.

FAITES-LE VOUS-MÊME

Pourquoi ne pas vous lancer dans le plaisir de la création? Revampez cette paire de chaussures que vous ne pouvez plus voir et cela vous évitera peut-être d'avoir à en acheter une autre. Vous pourriez les redécorer avec des bijoux faits spécialement pour les chaussures (de 3 $ à 15 $) ou même tout simplement utiliser des boucles d'oreille à pince que vous pincerez sur le dessus de la chaussure. Ou alors, collez-y de fausses pierres, achetées en vrac à peu de frais.

Pour les chaussures d'enfants, vous pourriez coller des appliques (ça fait toujours fureur) ou encore changer les lacets pour d'autres de couleur. Pourquoi ne pas les teindre vous-même pour obtenir une couleur particulière? Une tresse de rubans fluo fait un très beau lacet; collez-y de petites barrettes pour empêcher que les lacets ne sortent des œillets.

Pour vos ados un peu «weirdo», faites installer un talon d'une autre couleur que la botte ou la chaussure.

CHAUSSURES NEUVES

Parfois, il faut s'y résigner. Voici quelques adresses qui vous permettront de trouver des pointures rares ou spéciales, le plus souvent à peu de frais.

- Applebaum: 3032, rue Notre-Dame Ouest, Montréal. Vraiment, vraiment pas cher.

- Chaussure Karls Shoes: 4259, boul. Saint-Laurent, Montréal, 849-3839. Vous y trouverez des pointures pour femmes de 4AA à 15EEEE et pour hommes jusqu'à 19EEEEE. Aussi, beau-coup de chaussures spéciales: orthopédiques, de marche, de montagne, etc.

- Chaussure Rosita: 4875, boul. Couture, Saint-Léonard, 325-0341. Téléphonez pour les heures d'ouverture. Vous y trouverez des chaussures pour enfant de l'an dernier à 15 $.

6

LA BEAUTÉ

La semaine a été dure? Vous avez passé des nuits blanches et des matins noirs? Votre vie professionnelle a peut-être atteint 7 à l'échelle de Richter pendant que votre famille envisageait de vous faire adopter? Voici de quoi vous remonter le moral et le visage...

Je suis certaine que le temps que l'on prend pour soi est du temps gagné. Tous les jours, notre âme a besoin qu'on lui dise qu'elle vaut la peine qu'on s'arrête pour lui faire du bien ainsi qu'à notre corps. Chaque fois que l'on s'occupe de soi et qu'on se fait du bien, on devient plus fort, mieux dans notre peau. Plus encore, on enseigne ainsi à nos enfants à devenir leurs propres bienfaiteurs. Ainsi, plus tard, peut-être n'attendront-ils pas en vain que d'autres les remarquent et fassent quelque chose pour eux.

MASQUES DE BEAUTÉ MAISON

YOGOURT ET LEVURE DE BIÈRE

60 ml de yogourt nature (maison, évidemment!)

30 ml de miel

30 ml d'huile d'amande douce

75 ml de levure de bière

15 ml d'argile verte

1 feuille de laitue

30 ml de pulpe de melon d'eau (ou autre melon)

Mettez tous les ingrédients dans le mélangeur. La consistance devrait être celle d'une crème dense facile à étendre sur le visage. Si elle est trop liquide, vous pouvez ajouter de la levure ou de l'argile. Si elle est trop épaisse, ajoutez de l'eau tout simplement. Appliquez sur le visage et laissez agir 30 minutes. Ce masque convient à tous les types de peau et donne un teint vraiment éclatant! Jetez ce qui reste.

MASQUE NOURRISSANT À L'AVOCAT

1/2 avocat mûr (dont vous enlèverez les parties gâtées, bien sûr)

30 ml de jus de citron

15 ml de jus d'orange

45 ml de miel

15 ml d'huile d'amande douce

15 gouttes d'huile essentielle de camomille ou de thym (facultatif)

Mettez tous les ingrédients dans le mélangeur et faites-le tourner une minute à basse vitesse et une minute à haute vitesse. Vous obtiendrez une crème très fluide. Appliquez ce masque sur votre visage bien nettoyé et gardez-le au moins une demi-heure ou même davantage. Ce masque fait des merveilles sur des peaux abîmées par le vent ou le froid. Évitez cependant de l'utiliser sur une peau grasse. Jetez ce qui reste.

MASQUE FACILE À LA POMME

1 pomme pelée, évidée

30 ml de jus d'orange (ou de citron)

30 ml d'huile d'amande douce

30 ml de germe de blé

1 blanc d'œuf

20 gouttes d'huile essentielle de calendule (ou en teinture mère)

Découpez la pomme en morceaux en prenant soin d'enlever toutes les parties gâtées. Mettez-la dans le mélangeur avec tous les autres ingrédients. Si la pomme est très juteuse et rend la crème trop liquide, ajoutez des pommes de terre instantanées en flocons. Si elle est trop dense, ajouter un peu de jus de citron. Ce masque laisse la peau comme celle d'un bébé... Jetez ce qui reste.

Masque aux fraises

125 ml de fraises écrasées, mélangées à un blanc d'œuf si on a la peau grasse ou à de l'huile d'amande si on a la peau sèche. Jetez ce qui reste.

Masque pour peau très sèche

1 jaune d'œuf, 30 ml de lait en poudre, 15 ml de lait frais et 5 ml de miel. Gardez 15 minutes puis rincez à grande eau. Jetez ce qui reste.

Masque à la tomate

1 tomate bien mûre écrasée et placée entre deux étamines (coton à fromage). Gardez 15 minutes et rincez à l'eau claire: vous retrouverez un teint de jeune fille! Jetez ce qui reste.

Masque de tous les jours

Diluez de la farine d'avoine avec de l'eau tiède et un jaune d'œuf en mesurant les ingrédients pour obtenir une pâte qui se tienne. Un bon truc: ajoutez l'eau en dernier. Gardez 30 minutes. Jetez ce qui reste.

Tonique pour la peau

Laissez macérer vos œillets de la semaine dernière (4 tasses de pétales) dans 4 tasses de vinaigre pendant 10 jours. Diluez-en 15 ml dans un bol d'eau fraîche (200 ml) pour laver votre peau.

Compresse pour les yeux

15 ml de graines de lavande

1 sachet de tisane de camomille

15 ml de graines de fenouil

5 ml de thé noir

Faites bouillir 125 ml d'eau, puis jetez-y ce mélange d'herbes en éteignant aussitôt le feu. Laissez infuser 10 minutes et tamisez. Imbibez du coton hydrophile de cette infusion et appliquez-le sur vos yeux durant 15 minutes ou plus. Si vous stérilisez le coton, c'est encore mieux, car vous limitez ainsi la propagation des bactéries. Vous pouvez faire congeler ce mélange dans un bac à glaçons bien nettoyé. De cette façon, vous aurez des compresses en réserve...

EMPLÂTRE POUR CORPS FATIGUÉ

1/2 avocat ou banane

1/4 concombre (avec la peau si c'est un concombre anglais)

60 ml de jus de citron

pulpe de 1/2 pomme (sans le cœur mais avec la peau)

1/4 tasse de yogourt nature entier

30 ml d'huile d'amande douce

30 ml d'argile en poudre

60 ml de son d'avoine moulu finement (ou de son de blé)

60 ml de farine de blé complète

50 gouttes d'huile essentielle de citronnier

Mélangez les six premiers ingrédients dans le mélangeur jusqu'à l'obtention d'une crème très fluide. Ajoutez l'huile essentielle. Versez dans un bol en plastique, puis ajoutez l'argile, la farine et le son en mélangeant vigoureusement à la cuillère pour obtenir un mélange homogène.

Debout dans votre baignoire remplie d'eau à moitié, massez votre corps avec le mélange: procédez avec des mouvements droits sur les membres et concentriques sur le tronc et le visage. Prenez votre temps, car il faut masser un certain temps pour obtenir des résultats. Finalement, plongez-vous dans votre baignoire où le cataplasme continuera à agir en solution. Terminez par une douche à l'eau seulement (pas de savon).

Cet emplâtre a une consistance pas du tout ragoûtante, mais il fait des merveilles et vous laisse la peau douce et lisse comme celle des adolescentes.

POUR VOS ONGLES

S'ils sont cassants, trempez-les deux fois par semaine durant 15 minutes dans 1/2 tasse d'huile d'olive chaude additionnée d'un peu de jus de citron.

Vous pourriez aussi masser vos ongles, et vos cuticules surtout, avec une goutte d'huile d'amande ou d'olive à la température de la pièce. Ce sera la fin des cuticules rugueux.

L'huile d'olive chaude est excellente pour les mains rêches: une fois par semaine, laissez-les tremper 15 minutes.

HUILES ESSENTIELLES: QUELQUES RECETTES

- La méthode d'extraction des huiles essentielles (HE) est très importante: choisissez celles qui ont été distillées à la vapeur ou pressées à froid. De grâce, ne choisissez pas des huiles synthétiques.

- Limitez l'utilisation des huiles essentielles aux usages externes.

- Éviter d'appliquer les HE (à l'exception de la lavande) près des muqueuses ou des plaies. Dans un bain, évitez le contact de l'eau avec les yeux.

- Certaines huiles essentielles peuvent abîmer les tissus et les matériaux.

- Conservez-les dans des bouteilles foncées, hermétiques et placées hors de la portée des enfants. La «vie» d'une huile essentielle est de deux ans.

BAIN AROMATIQUE
(verser directement dans le bain chaud)

CALMANT

    3 gouttes d'HE de lavande
    1 goutte d'HE de citron
    2 gouttes d'HE de Bois de Rose

REMONTANT

    4 gouttes d'HE de Ylang-ylang
    2 gouttes d'HE de pamplemousse

RAFRAÎCHISSANT

3 gouttes d'HE de pamplemousse
3 gouttes d'HE de basilic (doux)

BAIN AROMATIQUE POUR ELLE

5 ml d'HE d'oranger amer

3 ml d'HE de cannelle

5 ml d'HE de citronnelle

2 ml d'HE de coriandre

2 ml d'HE d'œillet

3 ml d'HE de sauge

5 ml d'HE de santal

250 ml de vin d'aliboufier (ou de vin blanc sec)

45 ml d'huile d'avocat (ou d'huile d'amande)

Mélangez tous les ingrédients dans un flacon à fermeture hermétique. Agitez avant de vous en servir: une petite cuillerée à thé dans l'eau du bain devrait suffire à vous transporter dans un univers d'odeurs planantes... Vous pourriez bien sûr remplacer n'importe quelle huile essentielle par une autre que vous préférez: eucalyptus, anis, menthe, cyprès, basilic, pin et romarin devraient faire un délicieux mélange également.

VAPORISATEURS

CALMANT

Quand il y a de l'électricité dans l'air, agitez énergiquement et vaporisez tout simplement.

25 gouttes d'HE d'orange

40 gouttes d'HE de lavande

40 gouttes d'HE de Ylang-ylang

35 gouttes d'HE de marjolaine

4 oz d'eau pure

ODORANTS

Pour le plaisir, tout simplement, 2 recettes différentes.

40 gouttes d'HE de lavande

50 gouttes d'HE de citron

4 oz d'eau pure

OU

30 gouttes d'HE de citron

20 gouttes d'HE d'eucalyptus

40 gouttes d'HE de lavande

4 oz d'eau pure

HUILES À MASSAGE

ANTISTRESS

Massez-leur (ou massez-vous!) le cou et la nuque 30 minutes avant le départ pour l'école ou le travail.

5 gouttes d'HE de lavande

4 gouttes d'HE de géranium

3 gouttes d'HE de mandarine

3 gouttes d'HE de pamplemousse

2 tasses d'huile d'amande douce

STIMULANTE

Avant un examen ou une rencontre importante. Stimule la rétention de l'information et la vigilance. Massez la nuque et les épaules.

5 gouttes d'HE de basilic doux

4 gouttes d'HE de pamplemousse

3 gouttes d'HE de menthe verte

3 gouttes d'HE de géranium

500 ml d'huile d'amande douce

POUR LES PETITS BOBOS

Ce mélange soulagera les brûlures, les fesses irritées des bébés, les coupures, les piqûres d'insectes (il repousse même les insectes), les douleurs, la poussée des dents (on frotte la gencive avec un coton-tige imbibé de cette huile):

- 5 gouttes d'HE de lavande dans 1 c. à soupe d'huile d'amande douce

Si vous allaitez, massez vos poignets deux fois par jour avec cette huile pour stimuler votre production de lait:

- 5 gouttes d'HE de citronnelle dans 500 ml d'huile d'amande douce

Pour faire cesser la production de lait, frottez-vous les poignets une fois par jour avec ce mélange:

- 5 gouttes d'HE de sauge dans 500 ml d'huile d'amande douce

SOINS DE BEAUTÉ À PEU DE FRAIS

Nous revoici avec le teint fripé, les yeux qui bâillent jusqu'à terre et la peau de tout le corps craquante comme du papier de riz. Que dire de notre âme aussi grise que la «slush», et de notre humeur tellement à terre qu'on pourrait s'y essuyer les pieds! Rien de tel dans ces cas-là, qu'un passage chez l'esthéticienne et la coiffeuse. C'est l'heure du *rebirth* corporel! Pas besoin d'y laisser la peau des fesses!

UNE TIGNASSE ABORDABLE

Dans les écoles de coiffure et les polyvalentes qui offrent des cours techniques, vous pouvez obtenir les mêmes services que chez le coiffeur. C'est beaucoup plus long (généralement le double du temps qu'on passerait dans un salon), mais c'est beaucoup moins cher. Vous pouvez vous présenter à la plupart des endroits sans rendez-vous, mais je vous conseille de vérifier au préalable. Une idée des prix: coupe: 7 $; permanente (coupe et mise en plis): 20 $ à 25 $; coloration: 19 $.

Quelques adresses:

- École secondaire Lyndsay: 240, rue Beaurepaire, Beaconsfield, 426-3949.
- École de coiffure Uni-sexe: 1302, rue Sainte-Catherine Est, Montréal, 523-3109. Sans rendez-vous.
- École de coiffure Bel-Tête: 5465, chemin Chambly, Saint-Hubert, 462-3937.

- École de coiffure Repentigny: 174, rue Notre-Dame, Repentigny, 582-3131.
- École de coiffure Sainte-Thérèse: 88, boul. Curé-Labelle, Sainte-Thérèse, 433-9744.
- Les grands salons offrent aussi leurs services pour beaucoup moins cher (souvent moins de la moitié du prix) lorsque vous acceptez de vous faire coiffer le soir par leurs apprenties en processus de perfectionnement. Téléphonez à votre salon pour demander s'il offre ce service.

COLORATION

Le Club Maxicolor vous propose un abonnement d'un an pour vos colorations (125 $ pour l'année), ce qui vous fait des colorations à environ 10 $ chacune. Il faut cependant se faire couper ou coiffer les cheveux au même endroit, sinon on ajoute des frais de 8 $ par visite.

Les adresses du Club Maxicolor:

- Galeries des Sources, 683-3375.
- Les galeries Kirkland, 694-2303.
- Châteauguay: 55, boul. Saint-Jean-Baptiste, 691-8200.
- Place Greenfield Park, boul. Taschereau, 465-9757.
- Place Belle rose, Laval, 695-1105.
- Place Jacques-Cartier, Longueuil, 442-4816.

COUPE ET MISE EN PLIS GRATUITES

La Coupe vous offre une coupe et une mise en plis gratuites si vous acceptez de vous faire

coiffer par une apprentie qui se perfectionne. Appelez avant, car le service est accessible à des heures particulières et il faut prendre rendez-vous. Remarquez que le reste n'est pas cher non plus: coloration à 15 $, permanente à 30 $, etc. La Coupe: 1115, rue Sherbrooke Ouest (angle Peel), Montréal, 288-6131. Heure gratuite avec rendez-vous: lundi matin à 9 h 00 et mardi à 17 h 00.

SOINS DU CORPS ET DU VISAGE

Les écoles secondaires qui offrent un cours d'esthétique tiennent aussi salon. Une idée des prix: manucure: 4 $; facial: 8 $; épilation: 8 $; massage: 8 $. Évidemment, il vous faudra prendre un rendez-vous et être patiente, car ça se bouscule au portillon. Celles que je connais sont l'école secondaire Lyndsay; le collège Marie-Victorin et l'école Pierre-Dupuis (CECM). Vous pouvez toujours ouvrir votre bottin local, téléphoner à l'école secondaire la plus proche et demander si on y donne un cours d'esthétique. Si c'est le cas, offre-t-on des services au public?

PRODUITS DE BEAUTÉ PAS CHERS

Les grossistes vendent parfois aux particuliers en plus de vendre aux salons de beauté. Ils vous fourniront de tout pour vous refaire une beauté: produits utilisés dans les salons, matériel de coiffure, maquillage, fer à friser, rouleaux de toutes les grandeurs, shampooings vendus au gallon, etc.

Quelques adresses:

- Connections: 900, rue Jean-Talon Ouest, Montréal, 277-9743.
- Bellefontaine: 1451, rue Bleury (angle Maison-neuve), Montréal, 842-1195.

PRODUITS POUR LES FEMMES NOIRES

Produits pour cheveux, pour le maquillage ou crèmes de beauté.

- Princessa: 1669, avenue Dollard à Ville LaSalle, 595-4894.
- Maison de beauté Doreen: 6875, rue Victoria, Montréal, 737-6862.

POUR NOS ODEURS...

Ah! Les odeurs! Elles sont purement sensuelles; pourtant, notre culture en a fait une classification rigide comptant une liste noire. Sur cette liste, les haleines d'ail et les odeurs de transpiration de pieds et d'aisselles sont écrites en caractères gras. Voici quelques recettes maison qui vous permettront de vous concocter d'inoffensifs produits, parfaitement biodégradables... et non testés sur les animaux puisque c'est sur vous que vous les testerez!

POUR HALEINE D'AIL, D'OIGNON OU D'ÉPICES FORTES

- Mâchez quelques branches de persil frais: très efficace.

- Buvez ou rincez-vous la bouche avec une infusion d'ortie et de fenouil ou de bouleau et d'asperge.

- Si vous êtes féru de flore des sous-bois, vous pouvez boire du jus de baies de genièvre ou de bourrache que vous aurez cueillies et passées à l'extracteur à jus.

DÉSODORISANT MAISON I

8 g de teinture de myrrhe

4 g de teinture d'acacia

150 g de vin blanc sec

20 gouttes d'huile essentielle de lavande

50 gouttes d'huile essentielle de citronnier

5 gouttes d'huile essentielle d'œillet

50 gouttes d'huile essentielle de calendule

Mélangez tous les ingrédients dans un flacon. Agitez bien puis passez une ouate imbibée de ce produit sur vos aisselles sèches. Gardez au réfrigérateur.

DÉSODORISANT II

2 douzaines de radis OU

1 navet de grosseur moyenne

1/4 de c. à thé de glycérine

Passez les radis ou le navet dans l'extracteur à jus et ajoutez la glycérine. Versez dans une bouteille à vaporisation. Appliquez sur les aisselles et même entre les orteils! Gardez au frais.

NETTOYANT CORPOREL

Faites une pâte pas trop ferme avec de l'eau et de l'amidon auxquels vous ajouterez quelques gouttes d'une huile essentielle que vous aimez ou de vinaigre de pomme allongé avec de l'eau. Utilisez comme un savon.

POUR VOS PIEDS

100 g de poudre d'argile blanche

30 g d'amidon de riz

30 g de spores de lycopode

25 g de feuilles de sureau

25 g de feuilles de sauge

50 gouttes d'huile essentielle de menthe

30 gouttes d'huile essentielle de thym

Réduisez les feuilles de sureau et de sauge en poudre et tamisez-les encore dans le plus fin tamis dont vous disposez. Dans une bouteille ou un pot en plastique, mettez tous les ingrédients sauf les huiles essentielles. Agitez bien. Ajoutez les huiles essentielles, quelques gouttes à la fois, en brassant entre chaque ajout. Utilisez cette poudre à petites doses pour vous masser les pieds. Vous pouvez aussi en mettre un peu dans vos bas et vos souliers. Se conserve à la température de la pièce.

7

LA FÊTE

Faire la fête, c'est bien plus que simplement se réjouir. C'est aussi se rassembler et se reconnaître comme faisant partie de la même communauté. C'est rompre avec nos balises quotidiennes et prendre un temps spécial pour se dire à quel point on est heureux d'être ensemble. Faire la fête, c'est célébrer nos liens et nos espérances; c'est se souvenir de nos peines partagées et rigoler de nos coups pendables!

Je connais des gens qui préparent la fête, n'importe laquelle, avec autant de joie qu'ils en ont à célébrer. Ils planifient ensemble les étapes et se reconnaissent les uns et les autres des talents particuliers pour réaliser ces étapes. Ils rêvent ensemble de ce que la fête sera et s'amusent à l'avance des surprises qu'ils réservent à leurs invités. Dans ces maisons, on fait souvent la fête, de toutes sortes de façons; avec la famille, les amis, les voisins, à 3 ou à 50. Dans ces maisons, la fête, ce n'est pas ce qu'il y a sur la table, c'est ce qu'il y a dans le cœur. Je vous souhaite d'être invité à une de ces fêtes; rien ne laisse de plus beaux souvenirs.

NOËL

L'ESPRIT DE NOËL

L'esprit de Noël nous rappelle que nous sommes tous vivants ensemble sur la même planète, tous participants de la même vie. Cet esprit de Noël nous rappelle que quelque chose de plus grand que nous nous enveloppe. Peu importe que l'on croie en Dieu ou non, il faut reconnaître que la vie est plus grande que nous, que les enfants nous survivent et avec eux l'espérance. Et c'est ça Noël: un grand souffle d'espérance.

Pour préserver cet esprit, beaucoup de familles perpétuent des traditions ou des rituels de Noël. Ce sont eux qui recréent la magie instantanément 30 ans plus tard, quand on voit ses enfants tracer à leur tour de petites étoiles en pâte de sel...

LES RITUELS

Il peut s'agir de rituels de l'Avent, de la fête même de Noël (la nuit du 24 ou le jour même) ou de rituels du temps des Fêtes en général.

Par exemple, ma sœur Suzanne a fait construire un calendrier de Noël en trois dimensions pour mon fils Joël: 25 petites cases fermées cha-

cune par une porte avec la date dessus. Derrière cette porte se trouve une surprise (chocolat, figurine, autocollant, etc.). Chaque année, mon petit Joël trépigne avec la même joie au moment de l'installer dans le salon le 1er décembre.

Ailleurs, on place tous les noms des membres de la famille sur de petits papiers et chacun en pige un chaque dimanche matin des semaines de l'Avent. Une fois durant la semaine, on doit faire plaisir à la personne dont on a pigé le nom, sans qu'elle puisse deviner qui l'a pigée.

Quand j'étais petite, mes parents ne décoraient le sapin de Noël qu'une fois les enfants couchés le soir du 24 décembre. On soupait en pyjama de petites boîtes de céréales et hop! au dodo à 17 h 30. Quand nous nous réveillions au son des *Anges dans nos campagnes* que chantaient mes parents, nous marchions tout engourdis vers le sapin illuminé. C'était magique.

J'ai un copain dont la famille se réunit le 31 décembre: parents, enfants et petits-enfants dans la grande maison familiale. Chaque année, un des enfants doit préparer le mot de fin d'année (un discours, une chanson, un sketch, une murale, n'importe quoi qui clôt l'année et en annonce une nouvelle); puis, il y a plein de jeux organisés dehors: concours de balles de neige, partie de hockey, glissades, et tout le monde couche là. Certaines années, ils y sont restés pendant trois jours. Mémorable, paraît-il.

Voici quelques suggestions afin de préserver l'esprit de Noël dans votre famille et avec vos amis.

ALBUM DE NOËL

C'est un beau cahier que vous laisserez ouvert durant toute la période des Fêtes à la disposition de vos invités et de votre famille. Chacun est invité à y inscrire son plus beau souvenir de Noël ou peut-être ses pensées à propos de Noël ou même une formule magique qu'il connaît...

FABRIQUEZ DES DÉCORATIONS

Fabriquez vos décorations de Noël et profitez-en pour inviter vos neveux ou votre bande d'amis. Mettez-y un peu de tralala ou faites-en simplement un beau dimanche de l'Avent.

Argile maison: 500 ml de soda à pâte + 250 ml de fécule de maïs + 60 ml d'eau. Faites chauffer à feu moyen en brassant continuellement jusqu'à obtention d'une consistance de pommes de terre pilées. Placez dans une assiette et recouvrez d'un linge humide en attendant qu'elle refroidisse. Quand elle est tiède, roulez la pâte et taillez-la avec des emporte-pièces. Peignez vos œuvres le lendemain avec de la gouache ou de la peinture à l'eau.

Pâte de sel: 500 ml de farine de blé + 250 ml de sel fin + 180 ml d'eau + 15 ml de glycérine. Taillez des cœurs, des angelots, des étoiles. N'oubliez pas de percer un trou avec une paille avant qu'ils soient secs, pour y passer un ruban.

PAPIERS DE NOËL

Installez un bas de Noël pour chacun et invitez tous les membres de la famille (et pourquoi

pas vos invités?) à y glisser un petit mot d'amour ou d'appréciation. Chacun les lira le soir de Noël.

L'histoire de Noël

Allez réveiller vos enfants en chantant la nuit de Noël. Toute la famille rassemblée dans le même lit, racontez-leur l'histoire de la Nativité et la grande leçon d'entraide qu'elle porte. Ou encore, désignez un groupe de personnes différent chaque année pour jouer l'histoire de la Nativité.

Concours de décorations

Demandez à vos invités de Noël de circuler dans les rues de votre quartier avant d'arriver à la fête et de noter sur 20 les décorations de Noël des maisons. Quand tout le monde est arrivé, additionnez les points et déterminez le gagnant. Pourquoi ne pas lui faire parvenir un petit mot de félicitations?

DÉCORATIONS DE NOËL

ODORIFÉRANTES

- Couronne de pommes: Tranchez des pommes sans le cœur, trempez les tranches dans du jus de citron. Faites-les cuire au four 3 heures de chaque côté à 100 °C. Faites-en une couronne en collant les tranches les unes sur les autres ou passez une ficelle pour les enfiler les unes sur les autres.

- Boule épicée: Piquez une orange de clous de girofle en suivant un motif. Vous pourriez même coller d'abord un ruban doré autour de l'orange et planter les clous de girofle sur ce ruban.

- Guirlandes fruitées: Enfilez sur un fil de nylon des quartiers d'orange, de citron et de pomme grenade ou de n'importe quel fruit qui se conserve bien à la température de la pièce.

- Bonshommes de pomme: Filtrez de la compote de pommes dans un filtre à café en papier. Ajoutez ensuite de la cannelle jusqu'à ce que le tout forme une pâte épaisse. Étendez la pâte et taillez-y des bonshommes à l'emporte-pièce. Vous pourrez les suspendre un à un dans la maison ou dans le sapin ou encore en faire une guirlande sur un mur.

- Un simple bouquet de branches de pin ou de sapin dans un vase en verre autour duquel vous nouez un gros ruban rouge.

AUTRES

- Fruits givrés: Roulez des fruits (pommes, oranges, raisins, poires) dans un blanc d'œuf battu, puis roulez-les dans du sucre blanc. Magnifique!

- Fruits dorés et givrés: Peignez des fruits en plastique avec de la peinture aérosol dorée puis, tout de suite après, roulez-les dans du sel. Wow!

- Flocons de neige: Trempez de la ficelle blanche dans de la colle blanche, puis formez un flocon sur une planche de styromousse (dans laquelle on achète des légumes à l'épicerie) en enroulant la ficelle autour d'épingles droites. Retirez-les une fois le tout sec.

- Lanternes multicolores: Collez du papier de soie de différentes couleurs sur un pot en verre sans son couvercle. Placez-y une chandelle à fondue au chocolat. Si vous en avez plusieurs, l'effet sera très très chaleureux.

- Ressortez les bonbons d'Halloween et placez ensemble tous les verts et les rouges. Dans un petit aquarium, c'est du plus bel effet.

- Habillez les toutous et les poupées avec des rubans rouges, dorés et verts et placez-les sur le sofa.

- Utilisez la voiturette du petit pour y déposer les cadeaux au milieu du salon.

- Faites vous-même vos cartes de Noël avec des pochoirs ou des collages.

DANS L'ARBRE

- Boules de soie: Chiffonnez une boule de papier de soie et recouvrez-la d'une feuille de papier de soie rouge. Nouez cette feuille avec un joli ruban doré ou avec un cordon de soie.

- Boules transparentes: On les achète et on y met ce qu'on veut! Pour un effet rustique, mettez-y du pot-pourri; insérez-y du papier transparent irisé; de la dentelle, des bonbons multicolores, etc. On les suspend avec du ruban.

- Fleurs séchées: Piquez-les sur les branches du sapin pour un effet romantique.

- Faux bijoux: Taillez des formes dans du styromousse, recouvrez-les de papier aluminium puis poinçonnez-les selon un motif avec une aiguille, une paille ou un couteau pour faire des motifs différents.

- Biscuits: Quand vous ferez vos biscuits de pain d'épices, taillez un trou dans le haut du biscuit avec une paille. Enfilez-y un ruban pour les suspendre dans l'arbre.

- Guirlandes de canneberges et de maïs soufflé: Enfilez canneberges et pop-corn sur un fil de nylon avec une aiguille. Un beau motif: trois canneberges, deux morceaux de maïs, trois canneberges, deux morceaux de maïs...

- Piquez de petites clémentines de clous de girofle et suspendez-les; accrochez des rubans frisés, des guirlandes de bonbons.

PÂQUES

LE SENS DE PÂQUES

S'il vous plaît, n'en faites pas la fête des lapins... ces pauvres enfants ont soif du sens de la vie et Pâques est une occasion parfaite pour leur parler de la vie qui ne finit jamais vraiment. Apprenez-leur que la vie est une longue racine qui se développe en rhizomes; qu'il faut parfois attendre de longs mois d'hiver dans notre vie pour que sourde enfin une «pousse nouvelle», une autre chance, une nouvelle vie. Les gens de toutes les religions et de toutes les cultures célèbrent cette période de l'année même s'ils ne partagent pas les mêmes croyances. Toutes reconnaissent la renaissance de la terre, la fin d'un

cycle et le nouveau départ que la vie prend chaque année. Même si vous ne croyez pas en Dieu, de grâce reconnaissez au moins le sens spirituel de Pâques: tout était mort et voilà que tout renaît.

Ne succombez pas à la folie furieuse avec laquelle les marchands de toutes sortes agitent les lapins en les tenant par les oreilles. Avez-vous songé que vous n'étiez pas obligé d'acheter des tonnes de chocolat? Pourquoi ne pas offrir deux ou trois petits chocolats et des semences de fleurs que vos enfants verront grandir rapidement, faisant germer sous leurs yeux le sens même de la fête de Pâques: renouveau, croissance, transformation.

POUR RÉDUIRE LES FRAIS

- Vous aurez bien sûr récupéré les petits paniers de l'an dernier! Sinon, gardez ceux de cette année pour l'an prochain. Si l'anse s'est cassée, utilisez un ruban gommé de couleur que vous enroulerez sur toute l'anse comme pour une canne de bonbon.

- Vous pourriez peut-être récupérer la fausse paille de l'an dernier. Non? Ce n'est pas grave. Vous pourriez toujours utiliser les languettes de papier de la déchiqueteuse de votre bureau (ou même, utilisez-la pour déchiqueter de vieilles revues, ça vous donnera de la «paille» multicolore). Vous pouvez aussi récupérer les retailles de papier d'une imprimerie située près de chez vous. Demandez-leur de vous garder les retailles de couleur, évidemment.

- On peut fabriquer un panier de Pâques avec toutes sortes de matières recyclées:

– Un plat de margarine que vous aurez recouvert de papier de couleur en le collant (papier de soie ou reste de papier peint). Vous découperez le rebord du couvercle pour en faire l'anse que vous fixerez avec un fusil à colle chaude;

– Un pot à café en fer-blanc que vous aurez peint avec des motifs et auquel vous fixerez une anse en cure-pipes tressés ou en attaches de sac à poubelle en perçant deux trous de chaque côté du rebord.

FAITES VOS ŒUFS

- **Œufs de Jell-O:** Percez un seul trou de 1/2 cm dans 12 œufs et videz-les (gardez-les pour faire une omelette!) puis trempez-les dans l'eau bouillante quelques secondes avant de les faire sécher. Remplissez-les ensuite d'un Jell-O spécial:

  1 tasse d'eau bouillante

  1 grosse boîte de Jell-O

  1 enveloppe de gélatine

  2 tasses d'eau froide

Dissolvez les poudres dans la tasse d'eau bouillante, puis ajoutez les 2 tasses d'eau froide dans lesquelles vous aurez fait gonfler la gélatine 5 minutes. Versez le mélange dans les coquilles et laissez prendre toute la nuit. Vos enfants adoreront, c'est promis! Surtout, ne leur dévoilez pas votre secret et ils chercheront pendant des années d'où viennent les œufs en Jell-O.

Encore mieux: faites plusieurs recettes de Jell-O et quand la gelée sera presque prise, rem-

plissez les coquilles en plusieurs étages de couleurs différentes.

- **Œufs en chocolat:** Évidez les œufs de la même façon que pour les œufs de Jell-O et faites-y couler ce mélange tout simple jusqu'à la moitié de la coquille. (Vous pourriez même y ajouter des amandes émiettées...)

2 jaunes d'œuf

3 c. à soupe de sucre glace

300 g de chocolat noir (sucré)

1/4 tasse de beurre

Faites fondre le chocolat au bain-marie avec 1 c. à soupe d'eau. Ensuite, ajoutez les jaunes d'œuf un à la fois en brassant; ajoutez le sucre glace, puis le beurre. Coulez le chocolat avec un entonnoir en papier d'aluminium dans vos coquilles évidées.

- Vous pourriez aussi faire des truffes au chocolat en forme d'œuf. La recette est très simple à faire.

200 g de chocolat noir

125 g de beurre

2 jaunes d'œuf

135 g de sucre glace

2 c. à soupe de café fort

3 c. à soupe de cacao

Faites fondre le chocolat au bain-marie avec 1 c. à soupe d'eau. Hors du feu, ajoutez le beurre en morceaux puis les jaunes d'œuf et le café et mélangez avec une cuillère en bois. Mettez au frais pendant pendant 12 heures. Façonnez en forme d'œufs et roulez-les dans le cacao. Gardez au frais.

FAITES LA FÊTE

- Emplissez quelques coquilles avec des confettis et fracassez-les sur la tête de vos invités ou de vos enfants: je vous promets un effet bœuf!

- Faites une chasse aux œufs de Pâques totalement anarchique en cachant de petits œufs en chocolat (1,99 $ pour 50) un peu partout dans la maison: chacun cherche frénétiquement aux cris de la foule d'adultes enthousiastes. Plaisirs garantis!

- S'il fait beau, organisez la course dans le jardin.

- Optez pour une chasse plus sage et plus sophistiquée en jalonnant d'indices un parcours prédéterminé. Les indices peuvent être constitués de dessins si vos enfants sont tout-petits ou d'énigmes pour les plus grands.

- Pourquoi ne feriez-vous pas découvrir à vos enfants le sens et l'historique de l'eau de Pâques? Organisez un petit rituel et cueillez vous aussi cette eau de Pâques symbolique.

- Ne remplissez pas leurs paniers de chocolat; optez pour l'originalité: offrez aussi des colliers de miniguimauves de couleur ou de céréales sucrées et colorées; une gomme à effacer en forme de fleur ou de lapin; de beaux crayons à motifs; un bracelet tressé en réglisse; foncez, lâchez-vous «lousse»…

- Restez calme en voyant les kilos de chocolat s'accumuler dans les bras des enfants à mesure que vous aurez visité grand-maman, tante

Denise et les petits cousins Létourneau. Dès qu'ils auront le dos tourné, congelez la plus grande part du chocolat et ressortez-en l'été suivant. Il paraît que rien n'est plus agréable que de manger un magnifique chocolat noir bien froid en plein cœur de juillet sur la terrasse de la piscine. Et, oui, il est permis de JETER du chocolat (version alimentaire du très sage conseil de la Régie de l'assurance-automobile: il faut savoir dire «merci, j'en ai assez»).

- Vous pourriez faire comme une copine à moi et offrir seulement trois ou quatre petits chocolats VRAIMENT BONS et cultiver ainsi le goût des bonnes choses chez vos enfants. Peut-être aurez-vous une chute de pression en payant 8 $ pour un minuscule morceau enfoui dans un papier de soie, mais l'éducation des enfants n'a pas de prix... De toute façon, c'est le prix que vous auriez payé pour une tonne de sucre qui se serait vite chargé de leur carier les dents.

- Finalement, rappelons-nous que ce qui réchauffe le cœur, ce n'est pas le chocolat qu'on mange, ce sont ceux et celles sur qui on se colle pour le partager.

DÉCOREZ VOS ŒUFS

- Faites bouillir une tasse d'eau avec quelques miettes de colorant en pâte et 1 c. à soupe de vinaigre. Faites du «batik» en superposant plusieurs couleurs ou en traçant des motifs.

- Utilisez de gros crayons feutres pour dessiner des paysages.

- Collez des autocollants, du papier de soie, de la ficelle que vous aurez trempée dans le colorant auparavant.

- Faites couler de la cire de couleur en formant des motifs tout autour de la coquille.
- Peignez les coquilles avec de la peinture en aérosol or et roulez-les dans le sel... Wow!

HALLOWEEN

LE SENS DE LA FÊTE

Pour que la fête de l'Halloween vous coûte moins cher cette année, pourquoi ne pas faire vous-même les bonbons (caramel maison, bonbons patates, chocolat maison) et les déposer dans de petits sacs? Prenez soin de bien envelopper chaque bonbon dans du papier métallisé (c'est plus joli) ou du papier de soie. Peut-être même pourriez-vous fabriquer vos sacs dans des restes de tissu?

On se déguise pour s'amuser, pour rire, pour se lâcher «lousse»! Votre déguisement de reine n'a pas besoin d'être en hermine! Soyez créatif, que diable! C'est fou tout ce qu'on peut faire avec presque rien. Voici quelques suggestions qui vous donneront peut-être d'autres idées encore.

DÉGUISEMENTS

AVEC UN DRAP (TEINT OU TEL QUEL)

- Faites un sari, dessinez sur votre front le point rouge des femmes mariées et ajoutez beaucoup de bracelets.

- Faites un hidjab en couvrant la tête et le cou puis couvrez le hidjab d'un tchador (la couleur de celui-ci doit être beaucoup plus foncée que celle du hidjab) qui couvre la tête et tout le corps et dont un pan remonte sur le visage.

- Créez un superhéros en faisant une cape sur laquelle vous pouvez écrire au gros feutre ou à la gouache le S de Superman ou n'importe quel autre signe. Ici, les draps de satin feront une petite merveille!

- Pliez un drap de façon à faire une couche géante que vous épinglerez de chaque côté. Vous pouvez aussi réaliser un petit bonnet de bébé en taillant une pièce de drap rond, une fois et demie la grandeur de la tête; faufilez un fil élastique à deux pouces du bord. Ce n'est même pas la peine de faire un ourlet.

- Découpez votre drap blanc en bandelettes et transformez votre petit en homme invisible. N'oubliez pas les lunettes noires!

- Dans le même drap découpé en bandelettes, vous pourriez réaliser un grand éclopé en bandant certaines parties du corps. Ajoutez une canne, quelques taches de sang réalisées avec du colorant alimentaire ou de la gouache et une écharpe pour le bras gauche.

AVEC DU PAPIER CRÉPON

- Taillez des pétales et reliez-les par de la ficelle. Placez cette corolle autour du cou et habillez-la de vert pour le reste du corps. Voilà une jolie fleur.

- Fabriquez une jupe que vous pouvez coudre (le papier crépon se coud très bien) ou que vous collerez tout simplement juste avant le grand départ. Vous aurez taillé une frange à cette jupe pour en faire une jupe hawaïenne. Achevez votre œuvre en glissant une fleur multicolore faite à la main dans les cheveux de l'enfant.

• Taillez une couronne de carton et collez-y des plumes de deux ou trois couleurs différentes que vous aurez taillées dans le papier crépon.

Avec un sac en papier brun

• Faites-en le corps d'un monstre en y collant du papier de couleur frisé, bouchonné ou déchiqueté. Découpez des ouvertures pour les bras et la tête. Ajoutez un maquillage affreux et peut-être un casque de monstre réalisé avec un deuxième sac.

• Faites un camelot en collant des pages de papier journal sur le sac. Découpez des ouvertures pour les bras et la tête et faites-lui un chapeau-bateau en papier journal que vous ferez tenir avec un élastique.

D'autres idées

• Faites un arbre à ballons en épinglant des ballons partout sur les vêtements de l'enfant.

• Composez un déguisement d'itinérant en enfilant des vêtements vraiment trop grands, avec une barbe de deux semaines dessinée au crayon.

• Les vieux rideaux de douche et les fonds de piscine percés font des capes extraordinaires.

• Condamnez un vieux vêtement et autorisez vos enfants à l'effilocher, à dessiner dessus et

même à le peindre avec de la gouache. Ils adoreront ça!

- Faites de la barbe avec des bouts de laine, de la peluche récupérée d'un vieux toutou ou encore de la similifourrure que vous avez gardée d'un vieux manteau. Faites une moustache de laine et vaporisez-y de la laque à cheveux pour la rigidifier.

- Pour réaliser des moustaches d'animaux, utilisez des cure-pipes, des poils de balai ou des pailles taillées.

- De vieilles draperies deviendront le sari d'une reine indienne ou le drapé d'une déesse.

- Créez de magnifiques bijoux d'Halloween avec des perles de bois, des macaronis colorés, de la verroterie, des graines de citrouille séchées, des céréales circulaires.

- Fabriquez des antennes, des lunettes, des serretête, des auréoles d'ange et des bijoux avec des cure-pipes et du fil métallique de fleuriste.

- Pour des casques et chapeaux de toutes sortes: des bols de margarine, des moules d'aluminium jetables, un vieux bonnet de douche, des boîtes d'œufs, un petit abat-jour, un plateau de styromousse.

- Pour décorer ces chapeaux: papier d'aluminium, pompons, rubans, gouache, dentelles, boutons, bouchons et capsules de bière, cartons et laine.

- Créez de belles perruques aux styles totalement différents avec de la jute, de la corde, du fil à macramé, du papier d'aluminium, des restes de papier peint ou de papier d'emballage, de vieux vêtements frangés.

- Une petite balle de caoutchouc coupée en deux et évidée fera un nez de clown qui tiendra grâce à une ficelle nouée derrière la tête.
- Transformez de vieilles bouteilles en plastique (genre assouplisseur en gallon) en armure de robot en les taillant en spirale d'un seul morceau. Vous n'aurez qu'à les enrouler autour des bras et des jambes des enfants.

UNE MALLE À DÉGUISEMENT

Pourquoi ne pas garder toute l'année une malle à déguisement? Les enfants adorent se déguiser. En plus, cela vous procure un espace où mettre tout ce que vous ramassez en vue de la prochaine fête de l'Halloween: vieux vêtements, grands morceaux de tissu, vieux rideaux, dentelle, gants, ceintures, chapeaux, bijoux, fleurs en plastique, plumes, sacs à main, perles, verroteries, cure-pipes, retailles de fourrure, anciennes montures de lunettes, vieilles lunettes de soleil, bonnets de douche, sacs d'oignons, bouteilles en plastique, rouleaux en carton, vieilles passoires, tamis, chaudrons, guirlandes de Noël (surtout les dorées), retailles de rubans, de cordes, de macramé, etc.

DÉGUISEMENTS ET ACCESSOIRES À PEU DE FRAIS

S'il vous faut vraiment acheter quelque chose, voici quelques adresses qui devraient vous aider à ne pas y laisser toutes vos économies:

- L'entraide Bazar permanent: 3710, rue Jean-Talon Est (angle 17e Avenue), Montréal, 729-7160. Association sans but lucratif. Ces gens ont ramassé toutes sortes de vêtements qui peuvent composer de beaux déguisements: ancienne robe de mariée, vêtements rétro ou extravagants, pantalons bouffants, crinolines, perruques, gants, chapeaux anciens, etc. De plus, chaque année durant la période de l'Halloween, ils créent une section déguisements. Ouvert les mardi, mercredi et vendredi de 10 h à 18 h, le jeudi jusqu'à 21 h et le samedi jusqu'à 17 h.

- Centre d'action bénévole de la Mozaïque: 173, rue René-Philippe, Ville Lemoyne, 465-1803. Toute l'année, vous y trouverez de magnifiques costumes à louer entre 10 $ et 60 $. Ce sont des costumes que des bénévoles ont fabriqués en transformant de vieux vêtements. Sans doute pourriez-vous aussi les acheter. Un bon endroit à connaître.

- It/Eva B.: 2013, boul. Saint-Laurent (angle Ontario), Montréal, 849-8246 (heures d'ouverture particulières, appelez avant d'y aller). Deux magasins communicants où l'on trouve toutes sortes d'accessoires extraordinaires des années 20 à aujourd'hui. En plus, ils louent des costumes extravagants pour mariages, fêtes ou graduations... et donc pour l'Halloween aussi.

- Drags: 367, rue Saint-Paul (angle Bonsecours), Montréal, 866-0631. De tout, vraiment, datant même du début du siècle! Des soieries, des sacs, des bijoux, etc.

• Les marchés aux puces, les ventes de garage et les magasins à 1 $ sont également de bonnes sources d'approvisionnement.

LIVRE DE COSTUMES

• *Costumes d'Halloween pour enfants,* Leila Albala, Chambly, 1986. Une centaine de costumes pour enfants avec leurs patrons. Des dizaines d'idées d'accessoires à fabriquer: perruques, sacs, collerette, maquillage, chapeaux, etc. Vraiment pas besoin d'être une star de la couture, simplement savoir se servir d'une machine à coudre. Les patrons sont simples et faciles à réaliser. C'est un livre qu'on garde pour la vie. On ne peut l'obtenir que par la poste, 17 $ taxes et frais postaux inclus. Au 658-6205.

MAQUILLAGES

• Partagez les produits de maquillage avec vos copines: crayons rouges, crayons à sourcils, contour des yeux, rouge à lèvres, etc.

• Recette de maquillage maison: 30 ml de fécule de maïs + 15 ml de graisse végétale. Cela donne un magnifique blanc à clown et vous en aurez assez pour couvrir un visage. Ajoutez du colorant alimentaire pour obtenir d'autres couleurs. Absolument non toxique et sans danger, mais évitez d'en mettre près des yeux. Appliquez-le avec une éponge à maquillage, puis saupoudrez du talc ou de la fécule de maïs.

• Collez des étoiles de papier de soie ou des paillettes sur votre visage en les frottant sur le

côté coupé d'une pomme de terre cuite et tiédie. Cela devrait tenir au moins une heure.

LENDEMAINS DE VEILLE

Personnellement, je considère «la brosse» comme étant une activité hautement asociale. Je vous suggère d'abuser sans remords des «brosseux» en parlant bien fort! Si vous deviez vous retrouver dans une situation périlleuse, voici quelques idées glanées ici et là qui ne demandent qu'à être essayées. Ma responsabilité s'arrête ici.

TRUCS

AVANT LA BROSSE

- Remplissez-vous l'estomac. Foncez sur l'assiette de hors-d'œuvre avant de pointer vers le bar.
- Mangez de préférence des aliments gras tels que fromages et viandes froides. Le gras absorbe davantage l'alcool qui atteint donc plus lentement vos veines.

AVANT DE SE COUCHER

- Buvez le plus d'eau possible avant d'aller au lit. Le mieux aurait été de boire un verre d'eau après chaque verre d'alcool, mais peut-être n'y avez-vous pas songé...
- Certains connaisseurs suggèrent de prendre deux aspirines, deux multivitamines et un déjeuner instantané avant d'aller au lit...

LE LENDEMAIN DE VEILLE

- Évitez le café noir! Très dur pour l'estomac, il n'a aucun effet sur la gueule de bois. Buvez plutôt des jus de fruits, histoire de refaire vos réserves de potassium.

- Un meilleur choix: un verre de lait avec un comprimé d'antiacide.

- L'exercice permet, semble-t-il, d'augmenter l'apport d'oxygène et d'accélérer ainsi le processus de rétablissement du système.

- Beaucoup de gens avouent manger gras les lendemains de veille: hamburger, pizza, etc. À vos risques!

- La recette secrète d'une barmaid de la Nouvelle-Orléans qui a demandé qu'on préserve son anonymat: un Ramos Gin Fizz. Juste un peu de gin, du lait pour vous remettre l'estomac en place (sic), un peu de sucre pour vous donner de l'énergie et un blanc d'œuf pour les protéines.

8

LES CADEAUX

J'adore recevoir des cadeaux. Surtout quand ils sont inattendus, parce que j'ai alors le sentiment qu'ils viennent directement du cœur. C'est un câlin au milieu d'un jour ordinaire. J'aime presque autant offrir des cadeaux. Peut-être êtes-vous de ceux qui, comme moi, ont plus d'idées de cadeaux à offrir que d'argent pour les réaliser... Voici quelques suggestions de présents pour votre ami qui vous reçoit à souper; votre belle-mère qui a gardé le petit durant la semaine de relâche; la petite voisine qui ramène le plus vieux de l'école et le garde jusqu'à six heures. Bref, pour toutes ces personnes à qui vous avez envie d'offrir un petit quelque chose. Des cadeaux de Noël aussi, ou d'anniversaires. Faits à la main ou presque, ils portent avec eux un peu de nous-mêmes.

DES CADEAUX POUR RIEN

UNE PLANTE

• Pourquoi ne pas faire une bouture de votre dieffenbachia ou de votre asperge? Profitez de votre prochain rempotage pour préparer un petit rejeton dans un pot que vous avez déjà (pot à café repeint, pot en verre, petit aquarium bulle, etc.).

UN VINAIGRE MAISON

• Très faciles à faire, ils sont toujours appréciés. Offrez-les dans de mignonnes petites bouteilles que vous aurez récupérées de votre cuisine ou d'ailleurs (bouteille d'essence de vanille, de sirop, d'huile de bain, etc.).

Vinaigre de framboise: 2 tasses de vinaigre blanc + 1 tasse de framboises. Laissez macérer 13 jours dans une bouteille hermétiquement fermée et placée à la noirceur totale. Retirez les framboises et passez le vinaigre. Vous pouvez remplacer les framboises par des bleuets en suivant le même procédé.

Vinaigre d'estragon: 3 branches d'estragon séché ou frais dans 2 tasses de vinaigre blanc. Même procédé que pour le vinaigre de framboise, mais laissez-y les branches, c'est très joli.

DES CAFÉS AROMATISÉS

• Offrez des cafés aromatisés maison que vous présenterez dans des bocaux en verre (ceux

qu'on accumule toujours en se disant qu'ils serviront bien à quelque chose).

CAFÉ VIENNOIS

1/2 tasse de café instantané

1/3 de tasse de sucre

2/3 de tasse de lait en poudre écrémé

1/2 c. à thé de cannelle en poudre

Mettez tous les ingrédients dans le mélangeur jusqu'à l'obtention d'une consistance homogène (poudre). Utilisez 2 c. à thé dans une tasse d'eau bouillante. Donne 1 1/2 tasse de café aromatisé instantané.

CAPPUCINO

1/2 tasse de café instantané

1/2 tasse de sucre

1 tasse de lait en poudre

1/2 c. à soupe d'écorce d'orange séchée et pilée au mortier

Mettez tous les ingrédients dans le mélangeur. Utilisez 1 c. à soupe pour une tasse d'eau bouillante. Donne 2 tasses de mélange.

CAFÉ AU BEURRE, NOIX ET RHUM

1/3 tasse de grains de café

1/2 c. à soupe de muscade

Essence de beurre, de noix et de rhum

Mélangez le café et la muscade dans le mélangeur ou le broyeur à café. Ajoutez les essences, grattez les bords et remélangez encore 15 secondes. Cette recette donne un pot de 8 tasses de café.

CAFÉ À L'ORANGE

1/3 tasse de grains de café

1 1/2 c. à soupe de zeste d'orange râpé

1/2 c. à thé d'extrait de vanille

1/2 c. à thé de cannelle

Placez les ingrédients secs dans le broyeur à café et moulez-les. Ajoutez la vanille et moulez de nouveau en grattant les bords une fois. Donne 8 tasses de café.

VOUS POUVEZ AUSSI OFFRIR...

- des sachets d'infusions aromatiques maison;
- des tisanes réalisées avec les fleurs séchées de votre jardin;
- des gâteaux maison contenant des messages d'amour cachés;
- des biscuits maison dans un bocal en verre enrubanné.

POURQUOI PAS DE LA PANURE MAISON?

2 tasses de farine

2 tasses de biscuits soda moulus

2 c. à soupe de sel

1 c. à soupe de sucre

1 c. à thé de poudre d'ail

1 c. à thé de sel d'oignon

1 1/2 c. à soupe de paprika

2 c. à soupe d'huile végétale

Mélangez ensemble tous les ingrédients et conservez au frigo indéfiniment dans un bocal hermétique.

CADEAUX SPÉCIAUX

POUR VOS ENFANTS (PETITS ET GRANDS)

- Marionnettes faites à partir de vieux bas de laine (ou de coton): le talon devient la bouche et la pointe du pied le museau. On coud ou colle des cheveux, on coud deux yeux, on enroule une écharpe autour du cou et voilà une belle bête amicale. Donnez-lui le style que vous voulez: ajoutez des cils, une moustache, des bigoudis, un chapeau, des cheveux longs ou courts, de grands yeux ou des trous de suce…

- Une corde à danser faite à partir d'une vieille corde à linge que vous coupez de la longueur souhaitée, que vous teignez dans une couleur vive (achetez de la teinture à tissu d'un professionnel, on y trouve de plus jolies couleurs). Enroulez du ruban gommé de couleur pour faire les poignées (jaune vif, rouge, bleu ou même noir). Pour les plus petites filles, peut-être pourriez-vous installer un grelot au bout de chaque poignée…

- L'histoire de sa vie: Pour un de vos grands enfants: choisissez une trentaine de photos qui racontent sa vie et collez-les sur des feuilles en y inscrivant un commentaire pour chaque photo. Racontez-lui l'histoire de sa vie. Scellez chaque feuille en la plastifiant (1 $ la page recto verso) et faites relier le tout chez un imprimeur (environ 10 $ selon le format de votre papier et le type de reliure que vous souhaitez). Succès garanti.

- Recopiez vos meilleures recettes dans un magnifique cahier en y ajoutant des commentaires ou des anecdotes. Ou encore, écrivez-les sur du papier fin et faites relier le tout chez un imprimeur (5 $ environ). Personnalisez le cahier en calligraphiant le nom du destinataire sur la page couverture.

- Rédigez un conte pour votre filleul. Ce pourrait être une histoire que votre mère vous racontait quand vous étiez enfant. Découpez des images pour l'illustrer. Faites-le relier avec une couverture rigide de vrai livre (8 $). Ce pourrait même être une histoire que vous auriez inventée avec l'enfant. Utilisez son prénom dans l'histoire.

- Retapez et recyclez les jouets d'enfants qui ne sont plus utilisés, nettoyez-les jusqu'à les rendre presque neufs et présentez-les dans un emballage maison: des méga-blocs dans un sac cousu, une poupée à laquelle on a refait un visage, un tricycle repeint.

- Enregistrez plusieurs épisodes de son émission de télé préférée. Ce pourrait être aussi des films pour enfants que vous aurez enregistrés au cours de l'année. Prenez soin de choisir des émissions qui correspondent aux valeurs des parents!

- Un carnet de coupons calligraphiés sur de beaux cartons que vous reliez en passant un ruban dans un coin perforé. Ce pourrait être, selon l'âge de vos enfants, des coupons de «30 minutes plus tard» qui leur permettraient de reporter une requête de votre part ou pour parler au téléphone; des coupons permettant de rentrer plus tard ou de se coucher plus tard; des coupons de «party» dans le sous-sol; des coupons pour emprunter l'auto; pour emprunter un de vos vêtements; etc.

- Crayons maison: Achetez des crayons ordinaires et recouvrez-les de papier de soie de couleur enduit de colle blanche. Ou encore, peignez-les à la gouache. Très facile et votre ado adorera.

POUR PARENTS ET GRANDS-PARENTS (JEUNES ET MOINS JEUNES)

- Une photo: Faites faire un agrandissement en copie laser couleur d'une photo que vous aimez (1,50 $ environ dans les centres de photocopie) et insérez-la dans un cadre que vous avez déjà. Ou encore, collez-la sur une planchette de styromousse de 0,5 cm d'épaisseur en prenant soin de rabattre les côtés de la copie couleur vers le dos du styromousse. Collez une ficelle ou un crochet à tableau et le tour est joué.

- Sac personnalisé: Sur un sac d'épicerie en coton, imprimez l'empreinte des pieds ou des mains (ou les deux) de votre ou de vos enfants avec de la gouache ou encore de la peinture à tissu (cette dernière tiendra plus longtemps).

- Repas congelés: Offrez à de nouveaux parents des repas complets et savoureux que vous aurez fait congeler.

- Spécial traiteur maison: Offrez à une personne seule ou à quelqu'un qui ne sort pas souvent une soirée au cours de laquelle vous agirez comme traiteur. Elle pourrait même inviter quelqu'un et vous ferez le service. Vous apportez tout ce qu'il faut: nappe, chandelles, repas, serviettes de table et tout le tralala.

- Cahier d'œuvres d'art: Faites plastifier les œuvres de vos enfants et faites relier le tout.

POUR TOUS

- Peignez un pot à plante ordinaire (en terre cuite) et transformez-le: motifs aztèques sur un fond doré, des paysages bleus sur un fond crème, des motifs psychédéliques orange et rouge, etc.

- Fabriquez de belles décorations de Noël et offrez-les en cadeau.

- De la bouffe: Une couronne de pain aux amandes; des biscuits trempés dans le chocolat, des marinades et des ketchups maison, un gâteau aux fruits maison, etc. Offrez-les dans un bel emballage de cellophane irisé et de ruban doré.

- Faites un chandelier avec un tout petit pot à plante en plastique que vous peignez ou recouvrez de tissu; collez-y un collier de fausses perles, des feuilles de laurier peintes de couleur dorée. Remplissez de gros sel à marinade et plantez-y une chandelle.

- Concoctez une huile pour cheveux et offrez-la dans des pots en verre: 75 ml d'huile d'amande douce + 75 ml d'huile d'avocat + 75 ml d'huile de germe de blé. Ajoutez un peu d'huile de vitamine E pour l'empêcher de rancir.

- Un journal de remerciement: Vous y inscrivez, tout au long de l'année, toutes les gentillesses de votre conjoint avec un mot de remerciement pour chacune. Ajoutez-y des photographies, des dessins d'enfants ou des collants. Vous n'avez pas idée de l'effet que ça aura!

- Facile à coudre: Des mitaines de four, des serviettes de table, des napperons, un sac à chaussures, des pantoufles en feutre, une nappe.

9

LA COMMUNAUTÉ

Connaissez-vous le nom de vos voisins? Savez-vous où se trouve la bibliothèque de votre quartier? Avez-vous un ou une amie que vous pourriez appeler en cas d'urgence pour garder vos enfants? Notre communauté est le filet de sécurité de la vie quotidienne. On l'oublie souvent dans notre société faite de bulles individuelles. Pourtant, je n'arrive pas à imaginer ma vie sans mon grand ami Michel à qui je parle au téléphone au moins trois fois par semaine; ma voisine Charline qui me refile des pommes de terre quand il m'en manque; Denis, France et Line qui sont les parents des copains de mon fils et avec qui je parle de l'école. Marie-France, Francis, Francine, Robbie et Luc et tous les autres avec qui je travaille et qui me stimulent au plan professionnel. André, le curé de ma paroisse, et Danielle et Denis qui nourrissent constamment ma réflexion de parent. Ma vie est faite de gens. Ils sont ma communauté.

Et pour vivre, j'ai besoin de m'engager, d'agir pour faire vivre cette communauté. Je rends des services, je demande de l'aide, je partage mes connaissances et mes tuyaux. Cela crée une vraie dynamique: un mouvement qui circule à la manière d'une spirale et qui m'élève. Qu'est-ce qu'il y a dans votre communauté?

VOS RÉSEAUX

Vivre et travailler en réseau est la façon la plus enrichissante d'entretenir des liens avec d'autres êtres humains. Trois personnes sur quatre qui dénichent un emploi le trouvent grâce à leur réseau. Chaque personne que vous connaissez peut vous mettre en contact avec 80 personnes. Comme je dis souvent, on est à six personnes de n'importe qui, même du pape… il s'agit seulement de savoir par qui passer.

POURQUOI UTILISER NOS RÉSEAUX?

Un bon réseau vous permet d'avoir accès à de l'information: vous pensez vous embarquer dans un club de troc, mais vous voulez en savoir plus? Vous vous demandez quoi faire avec votre ado qui ne rentre pas coucher? Des services: vous cherchez une gardienne; quelqu'un qui réparerait votre rampe d'escalier; ou encore un bon médiateur pour votre séparation. Des références: vous cherchez un bon vétérinaire, un camp de vacances pour votre petit dernier? Des

conseils: vous songez à vous lancer en affaires; vous avez eu une idée d'émission de radio et vous voulez savoir si elle est réalisable; vous ne savez pas comment convaincre votre petite Marie-Miel de faire pipi dans le petit pot? Du soutien moral: pour tenir le coup en attendant que Marie-Miel fasse pipi dans la toilette; pour passer à travers cette crise économique qui n'en finit plus; ou encore quelqu'un qui vous prend dans ses bras quand plus rien de va.

COMMENT?

Tout le monde a au moins deux réseaux sans nécessairement le savoir; et la plupart en ont trois:

1) le réseau personnel: famille, amis intimes, groupes de soutien et d'entraide;

2) le réseau communautaire: clubs sociaux, comité d'école, bénévoles, gens du cours d'aquarelle ou de plongée sous-marine;

3) le réseau du travail: collègues, fournisseurs, patrons, secrétaires, clients, etc.

• Faites le bilan de votre réseau en inscrivant sur trois colonnes chaque personne que vous connaissez dans ces trois champs. Poursuivez en inscrivant la fréquence des contacts que vous avez avec chacune d'elles et la qualité de votre lien avec elle: vous apporte-t-elle quelque chose ou est-ce toujours vous qui donnez? Manque-t-il quelque chose à votre réseau? Avez-vous trop de liens professionnels et pas assez de liens avec votre communauté?

QUELQUES SECRETS

- Donnez généreusement de votre temps, de votre énergie, de vos idées!
- Émettez clairement vos besoins: les autres pourront mieux vous aider.
- N'ayez pas peur de déranger: tout le monde aime se sentir utile.
- Cultivez vos qualités d'écoute.

ACTIVITÉS

Vous vous êtes rendu compte que votre réseau était inégalement réparti? Alors, foncez en choisissant de vous inscrire à des activités qui vous permettront de mettre de l'équilibre dans vos réseaux et dans votre vie:

- selon vos moyens;
- selon votre disponibilité;
- selon vos intérêts.

Vous pourriez faire du bénévolat pour grossir votre réseau personnel; devenir membre d'une association d'affaires pour améliorer votre réseau professionnel; vous porter candidat au conseil d'administration d'un organisme; prendre des cours de peinture, etc.

ORGANISEZ VOS RENSEIGNEMENTS

Pour chaque membre de votre réseau, vous devriez avoir:

- ses coordonnées complètes;
- ses sujets d'intérêt (elle adore la pêche en haute mer, son frère est un génie de l'informatique et elle a un super jardin de rosiers Élisabeth);

- vos contacts avec elle et leurs résultats (correspondance, date et heure d'appel, sujet de la conversation, vous lui avez envoyé un de vos dossiers de recherche le 15 et elle devrait vous le retourner dans trois semaines, etc.);
- toutes ces informations inscrites dans un agenda, un grand livre de téléphone, un «cardex», un cartable, un calendrier mural, etc. Trouvez le moyen qui vous soit facilement accessible… **et tenez-le à jour.**

Préservez vos contacts (c'est essentiel!)

- Par des appels téléphoniques réguliers (juste pour te dire bonjour et savoir comment ça se passe avec ta petite dernière).
- Des cartes de souhaits, d'anniversaire, d'encouragement, de remerciement.
- Un petit mot de félicitations (Wow! c'est pour quand?).
- Des coupures de presse (j'ai pensé que ça t'intéresserait…).
- Un repas du midi partagé.

Trucs

- Gardez contact avec les gens que vous quittez.
- Remerciez les gens qui vous aident (même si la piste n'a rien donné).
- Ne faites jamais de promesses que vous ne pouvez pas tenir.
- Acceptez de servir de pont entre deux personnes le plus souvent possible.
- Ne dévoilez jamais un secret.

• Ne donnez pas ce que vous facturez d'habitude pour gagner votre vie.

DES EXEMPLES DE RÉSEAUX

• Henriette Lanctôt ne connaissait que sa sœur et quelques amies qui étaient en affaires quand elle a eu l'idée de publier un bottin de femmes d'affaires en 1981. Aujourd'hui, elle est présidente d'un réseau de plus de 3000 femmes d'affaires: l'Association des femmes d'affaires du Québec.

• Pierre connaît quelqu'un qui fait partie d'une association qui ramasse des languettes de canettes de liqueur pour acheter des fauteuils roulants. Il en a parlé à son travail et maintenant, chacun participe à la cueillette. Il y a des chances que le fauteuil roulant arrive pas mal plus vite comme ça.

• Isabelle a trouvé une gardienne pour son bébé en jasant avec la mère d'un petit copain de garderie avec qui elle fait partie du comité pédagogique.

• René connaît quelqu'un à son travail qui visite les prisons régulièrement comme bénévole et il apprend que les détenus n'ont rien à lire. Lui qui dévore des centaines de magazines par année décide de les apporter à France pour qu'elle les achemine à la prison.

IDÉES CONVIVIALES À ESSAIMER

Voici quelques idées vachement conviviales qu'il sera bon d'essaimer. Avec un peu de chance, elles feront des petits...

LES CORVÉES

Voilà bien un idée conviviale vieille comme le monde! Les corvées: plusieurs personnes mettent leurs énergies en commun pour atteindre un objectif. Les agriculteurs connaissent bien les corvées. Quand je vivais à la ferme laitière d'un ami, le troisième voisin n'arrivait pas à finir ses foins à temps; alors, tout naturellement, on est tous allés l'aider. Simplement parce qu'il fallait les finir et non pas parce qu'il nous offrait quelque chose en échange.

- Une corvée pour le ménage du printemps: On se met à trois et on lave des vitres toute la journée, dans chaque maison à tour de rôle. On finit avec un petit souper communautaire et une gigantesque partie de cartes!

- Offrez une corvée en cadeau: Pour la Fête des mères, offrez à une copine enceinte d'aller peindre sa chambre de bébé; un grand ado pourrait offrir à sa grand-mère d'aller laver ses murs avec ses copains de basket; en des temps difficiles, offrez à une de vos amies «cassée» de l'aider à faire son jardin en apportant vous-même les fleurs ou les semis.

- Une corvée de linge: Regroupez-vous à deux ou trois petites familles ou amies et faites le ménage de vos garde-robes: sortez tout ce qui ne vous fait plus, ce que vous n'aimez plus et aussi tout ce que vous n'avez pas mis depuis un an. Échangez les vêtements entre vous. Allez porter ce qui reste à votre presbytère ou à un comptoir d'entraide.

FLEURIR SON ARBRE

À Montréal, 30 000 arbres «en carrés» bordent les rues de la ville. Ils sont plantés dans un petit carré de terre. Pourquoi ne pas en faire un micro-jardin que vous entretiendrez cet été? Il y a un monsieur de la rue Gilford qui le fait depuis quatre ans et il a même fait une collecte chez ses voisins afin d'entretenir les six carrés de fleurs dont il s'occupe. Toute la communauté a été enthousiasmée. Il y a même un comité de citoyens de la paroisse Saint-Pierre-Claver qui a lancé l'an dernier une campagne d'embellissement axée sur ces carrés. L'aménagement de ces petits lopins est permis à Montréal dans la mesure où le terrain est libéré à l'automne. Vérifiez auprès de votre municipalité si vous n'habitez pas Montréal. Vous pourriez même y planter des légumes, quelques fleurs, des fines herbes... Pourquoi ne pas faire participer les enfants du quartier à ce projet?

RESSOURCERIE

En 1992, la Corporation d'amélioration et de protection de l'environnement de Baie-Comeau (CAPE) mettait sur pied sa première ressourcerie.

Une ressourcerie, c'est un lieu où des gens reçoivent, trient, et préparent à la réutilisation ou acheminent au recyclage tous les objets et matières dont les gens ne veulent plus. Axée sur la réutilisation plutôt que sur le recyclage, la ressourcerie est devenue une sorte de marché où l'on peut trouver des matériaux de construction usagés, des vêtements, des jouets, des objets remis à neuf. C'est un endroit où les gens vont porter leur vieille laveuse, une ancienne chaîne stéréo, des meubles devenus inutiles. C'est aussi un endroit où l'on découvre de nouvelles utilisations pour des objets ou encore des idées de choses à fabriquer avec des matières récupérées. Par exemple: fabriquer un système de rangement pour l'atelier avec des pots en plastique qu'on cloue sur une planche à la verticale; fabriquer un panier à linge avec un hamac un peu amoché, etc.

À Baie-Comeau, une trentaine d'entreprises et d'institutions participent activement à la ressourcerie et plus d'une centaine d'entreprises font de la récupération de façon volontaire pour lui fournir du matériel. Peut-être pourriez-vous mettre une ressourcerie sur pied dans votre quartier?

GROUPES D'AFFINITÉS ET DE DISCUSSION

Le journal *L'Agora,* de Jacques Dufresne, a suscité la formation spontanée de groupes de discussion. À Montréal, à Québec, à Magog, et bientôt en Abitibi, des groupes se rencontrent une fois par mois pour échanger leurs impressions sur le contenu du journal. Des discussions très sérieuses et enrichissantes. On peut s'y inscrire en téléphonant au (819) 838-5255 ou par télécopieur au (819) 838-4703.

Michel Lamarche et Marie-Andrée Langevin étaient seuls et avaient envie d'échanges plus profonds que ceux que permettent les soupers-rencontres de célibataires. Ils s'en sont parlé, en ont parlé à deux copains et, de fil en aiguille, se sont retrouvés avec un groupe d'une vingtaine de personnes. L'idée, c'est de rencontrer des gens avec lesquels on a des affinités profondes. Michel et Marie-Andrée sélectionnent les participants et exigent que chacun soit déjà en cheminement personnel et spirituel. Ils se rencontrent une fois par mois et partent d'un thème précis pour leurs discussions. Parfois, ils font du vélo ou de la randonnée.

GARDERIE «FAMILIALE»

À Saint-Basile-le-Grand, quatre frères et sœurs d'une même famille se sont organisés ensemble pour ouvrir une garderie pour leurs sept enfants, de trois mois à quatre ans. Ce sont donc eux qui déterminent tous les paramètres de la garderie: les locaux, les menus, les jeux, la plate-forme pédagogique. Ils ont embauché une éducatrice qui travaille avec la grand-mère des enfants. C'est une idée vraiment géniale: ça revient moins cher et surtout c'est sur mesure! Les enfants ont alors un milieu très stable, et

développent des liens entre cousins et cousines qui valorisent la famille.

LES «CLUBS DU SAVOIR»

Ce sont des groupes de personnes qui transmettent leur savoir les unes aux autres, de personne à personne ou en groupe. L'une peut aider mon plus vieux pour ses devoirs en échange de mes informations sur le dressage des chiens. Un grand ado pourrait donner une miniconférence sur un sujet de recherche qu'il fait pour l'école (imaginez l'immense sentiment d'utilité et de fierté que ça lui donnerait!) en échange d'une réparation de bicyclette. Ici, pas question d'argent. On devient membre du club tout à fait simplement et on y reste en échangeant des informations.

UNE HLM QUI EST UNE VRAIE COMMUNAUTÉ

Au Cap-de-la-Madeleine, une jeune grand-mère, bénéficiaire de la sécurité du revenu, habite dans une HLM de 51 logements où vivent 65 adultes et 33 enfants de 0 à 15 ans. Elle a décidé d'animer le lieu de toutes sortes de façons: elle a formé une chorale pour les enfants; elle organise des fêtes pour leur anniversaire. Son enthousiasme a fait boule de neige et le baptême des nouveaux bébés est maintenant célébré en communauté. Les parents ont mis sur pied un café-rencontre mensuel (à tour de rôle chez chacun); on organise aussi une fête de Noël pour tout le monde. Tous se sentent utiles et toutes les idées sont les bienvenues. Voilà un vrai «milieu de vie».

JOURNAUX COMMUNAUTAIRES

Si vous enviez les reporters à la vie trépidante, voici une idée qui vous intéressera: les journaux communautaires. Ils vous permettront de vivre vos rêves de devenir un journaliste enquêtant sur un sujet brûlant...

C'EST QUOI?

Ces journaux sont des organismes sans but lucratif, qui desservent toute la communauté et couvrent tous les sujets possibles. Cela exclut les hebdos régionaux ou de quartier, les journaux spécialisés comme *Le Monde à bicyclette,* par exemple, ainsi que les journaux qui ne desservent qu'une partie de la communauté comme les journaux de l'âge d'or ou celui du Regroupement des gais et lesbiennes. Ils n'ont rien à voir avec les journaux locaux non plus.

La plupart sont mensuels mais quelques-uns sont hebdomadaires ou bimensuels. Ils sont de format tabloïd ou magazine et le nombre de pages varie d'un journal à l'autre. Il y a le bulletin local broché et photocopié, le tabloïd imprimé et une gamme de possibilités entre les deux.

ENGAGEZ-VOUS!

Les journaux communautaires sont des lieux de débat et surtout d'apprentissage.

• Débat: Peut-être y a-t-il longtemps que vous pensez qu'il est urgent d'aménager un parc pour les enfants de votre quartier. Le journal vous permettra de militer en ce sens en allant voir les conseillers municipaux et votre député pour faire des entrevues sur le sujet. Et votre action aura de l'impact, car 98 p. 100 des 500 000 personnes qui reçoivent des journaux communautaires les lisent. Soixante-cinq pour cent les lisent en entier. C'est énorme!

• Apprentissage: Vous pouvez vous présenter au journal sans aucune expérience. Quelqu'un pourra vous apprendre le travail et vous montrer les techniques. On vous suggérera un poste moins influent au début (surtout si vous avez peu d'expérience), histoire de voir ce que vous avez dans le ventre. Avec le temps, vous verrez vous-même ce qui vous intéresse et où vous vous sentez utile.

L'Association des médias écrits communautaires du Québec (AMECQ) dispense des cours et de la formation pour remplir tous les types de tâches (voir les références à la page suivante).

Vous pouvez proposer des sujets, mais la plupart du temps il y a un comité de rédaction qui les planifie pour la saison.

BEAUCOUP DE CHOIX!

Soixante-douze journaux communautaires sont publiés au Québec, dans lesquels 1100 bénévoles exercent leurs talents de toutes sortes: graphisme, titrage, affectation, reportage, correction d'épreuves, illustration, photographie, journalisme, montage, etc.

- Les tirages varient entre 200 et 2500 exemplaires dans les milieux ruraux; cela peut aller jusqu'à 35 000 dans les zones urbaines. Ces journaux sont financés par des subventions populaires ou gouvernementales.

- Leur contenu est très très diversifié: de l'enquête de fond au divertissement, en passant par la politique locale ou régionale et la consommation, etc.

- Dans la région de Montréal, il y en a cinq: Anjou, Saint-Michel, Pierrefonds, Milton-du Parc, Saint-Bruno.

- L'AMECQ (383-8533) organise régulièrement des colloques, des rencontres-ateliers, des congrès. Elle publie un bottin annuel des journaux de la province. Allez, lancez-vous dans l'aventure!

AMITIÉ-JUMELAGES

Amitié-jumelages est un programme du Centre l'Hirondelle, qui reçoit de nouveaux arrivants au Québec. Les objectifs de cet organisme sans but lucratif sont de permettre aux nouveaux arrivants de s'intégrer plus facilement au Québec

et en français, d'aider les Québécois à entrer en contact avec de nouveaux arrivants, de prendre conscience de la réalité qu'ils doivent affronter lorsqu'ils débarquent dans un pays étranger et doivent faire face à un tas de choses nouvelles, à de nouvelles façons de faire et à de nouvelles valeurs.

- On s'engage à donner deux heures par semaine (au téléphone, en personne, chez vous, chez elle, dans un parc, en vélo, sur un court de tennis, etc.) à cette amitié pendant au moins un an.

- Existe depuis 1987. Ils ont réalisé 125 jumelages en six ans.

PROCÉDÉ

- Mme Duquette reçoit chaque candidat en entrevue d'une heure environ. Elle tentera de connaître vos motivations réelles, autant que possible, bien sûr. Elle cherchera chez vous le désir de rencontrer une autre culture, et chez l'autre celui de partager la nôtre. Elle dressera également une liste de vos intérêts.

- Si vous passez l'entrevue, on vous invite à une rencontre avec d'anciens jumelés à qui vous pourrez poser toutes les questions qui vous passent par la tête. (Par exemple: Qu'est-ce qu'on fait si le jumeau devient envahissant? Est-ce que vous l'avez amené chez vous? Dois-je lui prêter de l'argent?)

  La deuxième partie de la rencontre consiste en une séance de formation sur les services de l'Hirondelle afin que vous puissiez réorienter votre jumeau vers cet organisme.

- Après cette rencontre, on vous demandera de rappeler vous-même l'organisme si vous êtes toujours intéressé, de façon à n'exercer aucune pression sur vous. Quand vous rappelez, on commence la délicate opération du jumelage. Vos intérêts prennent ici une grande importance afin que votre amitié dure: les sportifs avec les sportifs! Une balade à vélo est un canal de rencontre tout aussi fructueux parfois que celui du langage. N'oublions pas que plusieurs nouveaux arrivants ne parlent pas le français.

- La première rencontre avec votre jumeau peut se faire dès le lendemain ou quelques semaines plus tard. Parfois quelques mois. Il s'agit de trouver la personne avec laquelle vous avez le plus de chances de vous entendre. Ça peut dépendre aussi de vos requêtes. Par exemple, si vous avez demandé à être jumelé avec une femme latino-américaine et qu'il n'y en a pas pour l'instant, il faudra attendre.

- La première rencontre se fait en présence des intervenants de l'Hirondelle, au centre même. Après 20 minutes, on vous prête un local où vous passerez les 90 minutes suivantes.

- Tout au long de votre première année, vous pouvez appeler Mme Duquette et les intervenants du centre pour vous aider. Si vous avez un problème ou une question, si vous avez besoin de soutien, n'hésitez pas. Elle vous téléphonera régulièrement aussi pour prendre des nouvelles.

CRITÈRES D'EXCLUSION (POUR LES DEUX PARTENAIRES)

- Ce n'est pas une agence de rencontre: on ne jumelle que très très rarement un homme et une femme.

- Ce n'est pas un lieu de prosélytisme non plus: ce n'est pas la place si vous sentez que votre religion est la seule qui permettra de sauver l'âme de l'autre!

- On vous refusera aussi si votre motivation est à sens unique: par exemple, si vous voulez seulement apprendre une troisième langue ou si vous voulez apprendre la cuisine chinoise sans que ça vous coûte un sou.

- On rejettera votre candidature également si vous souhaitez couvrir votre nouvel ami de biens matériels et vice-versa: on refusera un nouvel arrivant qui rechercherait un soutien financier.

NOTES

- La première rencontre est généralement un peu intimidante: on ne sait pas trop comment commencer... Pour certains ça a été le coup de foudre et ils se voient toujours après cinq ans. Pour d'autres, il a fallu plus de temps. C'est important de demander du soutien si on trouve que l'amitié est lente à démarrer.

- Les jumeaux ont entre 20 et 74 ans. Moyenne d'âge: entre 30 et 45 ans.

- Une fois par année, on organise une grande rencontre à la campagne où les jumeaux peuvent en rencontrer d'autres.

- Les rencontres de formation se tiennent toutes les six semaines; tous les jumelés peuvent y assister.

- Renseignement: Centre l'Hirondelle, programme Amitié-Jumelages, (514) 281-5696

- Il existe des groupes de jumelage à Sherbrooke (819) 566-5373; un à Hull et un à Québec, pour lesquels vous devrez consulter votre bottin local.

BIBLIOGRAPHIE

Beaucoup de personnes ont partagé avec moi leurs trucs et leurs recettes. J'ai dévoré des revues en abondance, des journaux, des brochures en plus de nombreux livres. J'ai cueilli des idées à droite et à gauche et les ai transformées après les avoir essayées. Beaucoup d'auteurs également m'ont inspirée dans mes recherches pour la rédaction de ces chroniques et leur publication dans sa forme actuelle. Je vous donne leurs livres en référence afin de reconnaître la part qu'ils ont dans *Le petit Paradis* et aussi pour que vous puissiez aller y puiser des idées supplémentaires.

- ADAMSON, Nicolas, *Fête d'enfants*, Paris, Fleurus Idées, avril 1991, 120 p.
- ALBALA, Leila, *Costumes d'halloween pour enfants*, Chambly, Alpel, 1986, 128 p.
- BACUS, Anne, *1000 trucs superpratiques pour élever bébé*, Belgique, Marabout, 1994, 285 p.
- BASSET-CLIDIÈRE, Martine, *Guide Marabout des jeux de plein air*, Belgique, Marabout, 1989, 283 p.
- DACYCZYN, Amy, *The Tightwad Gazette I et II*, New York, Villard Books, 1993 et 1995, 307 p. et 292 p.
- FACETTI, Aldo, *Belle au Naturel*, Milan, Arnoldo Mondadori Editore S.p.a., 1990, 143 p.

- JANSEN LONGACRE, Doris, *More-with-less Cookbook*, Waterloo, Herald Press, 1976, 41e édition, 328 p.

- PHILLIPS, Sandra, *Le consommateur averti de Montréal*, Montréal, 1993. C.P. 3, Roxboro (Québec), H8Y 3E8, 241 p.

- STANTON, Danielle, *C'est à ton tour*, Québec, Le secrétariat à la famille, 1994, 22 p.

- THOUW, Kathleen, *Ouf! Vive les enfants!*, Éditions du Printemps, 1984, adapté de *Parent Tricks-of-Trade,* par Reine Chevrier Vérando. 221 p.

TABLE DES MATIÈRES

Mes bonnes adresses

Mes bonnes adresses

Mes bonnes adresses

Mes bonnes adresses

Mes bonnes adresses

MES BONNES ADRESSES

MES BONNES ADRESSES

imprimerie gagné ltée

IMPRIMÉ AU CANADA